Paz

MÁS ALLÁ DE LA TORMENTA

Pacific Press® Publishing Association

Nampa, Idaho

El texto de este libro fue originalmente publicado bajo el título El camino a Cristo.

Título de la tapa por Brian Yeager
Diseño de la tapa por Matthew McVane
Diseño general por Matthew McVane

Fotos:
Tapa y contratapa: Tom y Pat Leeson
Tom y Pat Leeson: Páginas 14, 20, 38, 44, 52, 60, 68, 92, y 100. Shirley Engel: Páginas 6, 32, y 82. Duane Yessak: Página 74. Todas las fotos utilizadas en este libro son propiedad reservada de los fotógrafos mencionados.
Tipo: 13 Garamond Book

Editora de los relatos: Gena Cowan
Los relatos en las páginas 13 y 31 fueron tomados y adaptados del libro *Out of This World* por Nancy Beck Irland y Peter Beck, son utilizados con su autorización y no son parte del texto original.

Los relatos en las páginas 5, 51, 59, 81, y 91 fueron tomados y adaptados del libro *Go for the Gold* por Kay Rizzo, son utilizados con su autorización y no son parte del texto original.

Impreso en los EE. UU. por Pacific Press® Publishing Association.
Printed in the United States of America by Pacific Press® Publishing Association.

ISBN 13: 978-0-8163-9331-2
ISBN 10: 0-8163-9331-1

Contenido

PRECIOSAS

Promesas

"Jehová dará fortaleza a su pueblo;
Jehová bendecirá a su pueblo en paz".
Salmo 29:11.

"¿O forzará alguien mi fortaleza? Haga conmigo paz;
sí, haga paz conmigo". Isaías 27:5.

"Y el efecto de la justicia será paz; y la labor de justicia,
reposo y seguridad para siempre". Isaías 32:17.

"¡Cuán hermosos son sobre los montes los pies
del que trae alegres nuevas, del que publica la paz, del que
trae nuevas del bien, del que publica salud, del que dice a
Sión: Tu Dios reina"! Isaías 52:7.

"Tú le guardarás en completa paz,
cuyo pensamiento en ti persevera; porque en ti se
ha confiado". Isaías 26:3.

"Mas el fruto del Espíritu es amor, gozo, paz,
tolerancia, benignidad, bondad, fe, mansedumbre,
templanza; contra tales cosas no hay ley".
Gálatas 5:22, 23.

"Mucha paz tienen los que aman tu ley, y no hay
para ellos tropiezo". Salmo 119:165.

"Pero los mansos heredarán la tierra,
y se recrearán con abundancia de paz".
Salmo 37:11.

"En paz me acostaré, y asimismo dormiré; porque solo tú,
Jehová, me harás estar confiado". Salmo 4:8.

Un Corazón Quebrantado

El abuelo Jorge tenía un corazón enfermo. Estaba tan grave que su médico le había dicho que necesitaría un trasplante de corazón para sobrevivir. Así que pusieron su nombre en la lista de espera para conseguir un donante, y cada noche sus nietos oraban que si era la voluntad de Dios pronto pudieran encontrar un corazón para él.

Entonces algo sucedió, no de la manera en que alguien pudiera esperarlo o desearlo. El nieto de Jorge, Scott, era un adolescente activo, a quien le encantaba montar motocicleta con sus amigos. Scott oraba diariamente para que su abuelo consiguiera un corazón. Pero hizo más que eso. También actuó al respecto. Animó a sus amigos a que firmaran tarjetas ofreciéndose como donantes.

Cierto día, un día que los amigos de Scott nunca podrán olvidar, Scott se convirtió en la respuesta a sus mismas oraciones. Tuvo un terrible accidente de motocicleta. Sus amigos no pudieron hacer nada por él mientras yacía en el pavimento con su cuerpo deshecho.

Pronto llegó la ambulancia con sus sirenas ululando y condujo a Scott al hospital. Las pruebas revelaron que aunque su corazón aún latía, su cerebro estaba muerto.

Los padres de Scott fueron rápidamente al hospital atolondrados por la noticia. Cuando escucharon que su muerte era inevitable, supieron qué es lo que él hubiera deseado que hicieran. Firmaron un formulario para donar el corazón de Scott a su propio abuelo.

Se completó la cirugía en pocas horas y en las próximas semanas el abuelo de Scott se recuperó muy bien. Cuando habló con los periodistas les dijo: "Tengo un nuevo corazón, pero está quebrantado".

El abuelo de Scott vive cada día plenamente en honor del obsequio que le diera su nieto. "Si aprovecho mal esta vida, el don de Scott habrá sido en vano", él declara.

¿Qué en cuanto a usted? Jesús murió para que usted viva para siempre. Eso muestra cuán importante es usted para él. Y por eso es que él viene pronto a buscarlo para llevarlo a vivir con él. No menosprecie su don. Esté listo para recibirlo cuando él venga.

*Porque de tal manera amó Dios al mundo, que
ha dado a su Hijo unigénito, para que todo aquel que en él cree,
no se pierda, mas tenga vida eterna. S. Juan 3:16.*

Amor sin Condiciones

La naturaleza y la revelación a una dan testimonio del amor de Dios. Nuestro Padre celestial es la fuente de vida, sabiduría y gozo. Mirad las maravillas y bellezas de la naturaleza. Pensad en su prodigiosa adaptación a las necesidades y a la felicidad, no solamente del hombre, sino de todos los seres vivientes. El sol y la lluvia que alegran y refrescan la tierra; los montes, los mares y los valles, todos nos hablan del amor del Creador. Dios es el que suple las necesidades diarias de todas sus criaturas. Ya el salmista lo dijo en las bellas palabras siguientes:

"Los ojos de todos miran a ti, y tú les das su alimento a su tiempo. Abres tu mano, y satisfaces el deseo de todo ser viviente" (Salmo 145:15, 16).

Dios hizo al hombre perfectamente santo y feliz; y la hermosa tierra no tenía, al salir de la mano del Creador, mancha de decadencia, ni sombra de maldición. La transgresión de la ley de Dios, de la ley de amor, fue lo que trajo consigo dolor y muerte. Sin embargo, en medio del sufrimiento resultante del pecado se manifiesta el amor de Dios. Está escrito que Dios maldijo la tierra por causa del hombre (Génesis 3:17). Los cardos y espinas, las dificultades y pruebas que colman su vida de afán y cuidado, le fueron asignados para su bien, como parte de la preparación necesaria, según el plan de Dios, para levantarle de la ruina y degradación que el pecado había causado. El mundo, aunque caído, no es todo tristeza y miseria. En la naturaleza misma hay mensajes de esperanza y consuelo. Hay flores en los cardos, y las espinas están cubiertas de rosas.

"Dios es amor" está escrito en cada capullo de flor que se abre, en cada tallo de la naciente hierba. Los hermosos pájaros que con sus preciosos cantos llenan el aire de melodías, las flores exquisitamente matizadas que en su perfección lo perfuman, los elevados árboles del bosque con su rico follaje de viviente verdor, todos atestiguan el tierno y paternal cuidado de nuestro Dios y su deseo de hacer felices a sus hijos.

La Palabra de Dios revela su carácter. El mismo declaró su infinito amor y piedad. Cuando Moisés dijo a Dios: "Ruégote me permitas ver tu gloria", Jehová respondió: "Yo haré que pase toda mi benignidad ante tu vista" (Exodo 33:18, 19). Tal es su gloria.

En cada acto de su vida revelaba amor, misericordia y compasión; su corazón rebosaba de tierna simpatía por los hijos de los hombres. Se revistió de la naturaleza del hombre para poder simpatizar con sus necesidades. Los más pobres y humildes no tenían temor de allegársele. Aun los niñitos se sentían atraídos hacia él.

El Señor pasó delante de Moisés y clamó: "Jehová, Jehová, Dios compasivo y clemente, lento en iras y grande en misericordia y en fidelidad; que usa de misericordia hasta la milésima generación; que perdona la iniquidad, la transgresión y el pecado" (Exodo 34:6, 7). El es "lento en iras y grande en misericordia" (Jonás 4:2), "porque se deleita en la misericordia" (Miqueas 7:18).

Dios unió consigo nuestros corazones, mediante innumerables pruebas de amor en los cielos y en la tierra. Valiéndose de las cosas de la naturaleza y los más profundos y tiernos lazos que el corazón humano pueda conocer en la tierra, procuró revelársenos. Con todo, estas cosas sólo representan imperfectamente su amor. Aunque se dieron todas estas pruebas evidentes, el enemigo del bien cegó el entendimiento de los hombres, para que éstos mirasen a Dios con temor y le considerasen severo e implacable. Satanás indujo a los hombres a concebir a Dios como un ser cuyo principal atributo es una justicia inexorable, como un juez severo, un acreedor duro y exigente. Representó al Creador como un ser que velase con ojo celoso para discernir los errores y las faltas de los hombres y hacer caer juicios sobre ellos. A fin de disipar esta densa sombra vino el Señor Jesús a vivir entre los hombres, y manifestó al mundo el amor infinito de Dios.

El Hijo de Dios descendió del cielo para revelar al Padre. "A Dios nadie jamás le ha visto: el Hijo unigénito, que está en el seno del Padre, él le ha dado a conocer" (S. Juan 1:18). "Ni al Padre conoce nadie, sino el Hijo, y aquel a quien el Hijo lo quisiere revelar" (S. Mateo 11:27). Cuando uno de sus discípulos le dijo: "Muéstranos al Padre", Jesús respondió: "Tanto tiempo hace que estoy con vosotros, ¿y todavía no me conoces, Felipe? El que me ha visto a mí, ha visto al Padre; ¿cómo pues dices tú: Muéstranos al Padre?" (S. Juan 14:8, 9).

Jesús dijo, describiendo su misión terrenal: Jehová "me ha ungido para anunciar buenas nuevas a los pobres; me ha enviado para proclamar libertad a los cautivos, y a los ciegos recobro de la vista; para poner en libertad a los oprimidos" (S. Lucas 4:18). Esta era su obra. Anduvo haciendo bienes y sanando a todos los oprimidos de Satanás.

Había aldeas enteras donde no se oía un gemido de dolor en casa alguna, porque él había pasado por ellas y sanado a todos sus enfermos. Su obra demostraba su unción divina. En cada acto de su vida revelaba amor, misericordia y compasión; su corazón rebosaba de tierna simpatía por los hijos de los hombres. Se revistió de la naturaleza del hombre para poder simpatizar con sus necesidades. Los más pobres y humildes no tenían temor de allegársele. Aun los niñitos se sentían atraídos hacia él. Les gustaba subir a sus rodillas y contemplar su rostro pensativo, que irradiaba benignidad y amor.

Jesús no suprimía una palabra de la verdad, pero siempre la expresaba con amor. En su trato con la gente hablaba con el mayor tacto, cuidado y misericordiosa atención. Nunca fue áspero ni pronunció innecesariamente una palabra severa, ni ocasionó a un alma sensible una pena inútil. No censuraba la debilidad humana. Decía la verdad, pero siempre con amor. Denunciaba la hipocresía, la incredulidad y la iniquidad; pero las lágrimas velaban su voz cuando profería sus penetrantes represiones. Lloró sobre Jerusalén, la ciudad amada, que rehusó recibirle, a él, que era el Camino, la Verdad y la Vida. Sus habitantes habían rechazado al Salvador, mas él los consideraba con piadosa ternura. Fue la suya una vida de abnegación y preocupación por los demás. Toda alma era preciosa a sus ojos. A la vez que se condujo siempre con dignidad divina, se inclinaba con la más tierna consideración sobre cada uno de los miembros de la familia de Dios. En todos los hombres veía almas caídas a quienes era su misión salvar.

Tal fue el carácter que Cristo reveló en su vida. Tal es el carácter de Dios. Del corazón del Padre es de donde manan para todos los hijos de los hombres los ríos de la compasión divina, demostrada por Cristo. Jesús, el tierno y piadoso Salvador, era Dios "manifestado en la carne" (1 Timoteo 3:16).

Jesús vivió, sufrió y murió para redimirnos. Se hizo "Varón de dolores" para que nosotros fuésemos hechos participantes del gozo eterno. Dios permitió que su Hijo amado, lleno de gracia y de verdad, viniese de un mundo de indescriptible gloria a esta tierra corrompida y manchada por el pecado, oscurecida por la sombra de muerte y maldición. Permitió que dejase el seno de su amor, la adoración de los ángeles, para sufrir vergüenza, insultos, humillación, odio y muerte. "El castigo de nuestra paz cayó sobre él, y por sus llagas nosotros sanamos" (Isaías 53:5). ¡Miradlo en el desierto, en el Getsemaní, sobre la cruz! El Hijo inmaculado de Dios tomó sobre sí la carga del pecado. El que había sido uno con Dios sintió en su alma la terrible separación que el pecado crea entre Dios y el hombre. Esto arrancó de sus labios el angustioso clamor: "¡Dios mío! ¡Dios mío! ¿por qué me has desamparado?" (S. Mateo 27:46). Fue la carga del pecado, el reconocimiento de su terrible enormidad y de la separación que causa entre el alma y Dios, lo que quebrantó el corazón del Hijo de Dios.

Pero este gran sacrificio no fue hecho para crear amor en el corazón del Padre hacia el hombre, ni para moverle a salvarnos. ¡No! ¡No! "Porque de tal manera amó

Dios al mundo, que dio a su Hijo unigénito" (S. Juan 3:16). Si el Padre nos ama no es a causa de la gran propiciación, sino que él proveyó la propiciación porque nos ama. Cristo fue el medio por el cual el Padre pudo derramar su amor infinito sobre un mundo caído. "Dios estaba en Cristo, reconciliando consigo mismo al mundo" (2 Corintios 5:19). Dios sufrió con su Hijo. En

Cuanto más estudiamos el carácter divino a la luz de la cruz, mejor vemos la misericordia, la ternura y el perdón unidos a la equidad y la justicia, y más claramente discernimos las pruebas innumerables de un amor infinito y de una tierna piedad que sobrepuja la ardiente simpatía y los anhelosos sentimientos de la madre para con su hijo extraviado.

la agonía del Getsemaní, en la muerte del Calvario, el corazón del Amor infinito pagó el precio de nuestra redención.

Jesús declaró: "Por esto el Padre me ama, por cuanto yo pongo mi vida para volverla a tomar" (S. Juan 10:17). Es decir: "De tal manera os amaba mi Padre, que me ama tanto más porque dí mi vida por redimiros. Porque me hice vuestro Sustituto y

Fianza, y porque entregué mi vida y asumí vuestras responsabilidades y transgresiones, resulto más caro a mi Padre; mediante mi sacrificio, Dios, sin dejar de ser justo, es quien justifica al que cree en mí".

Nadie sino el Hijo de Dios podía efectuar nuestra redención; porque sólo él, que estaba en el seno del Padre, podía darle a conocer. Sólo él, que conocía la altura y la profundidad del amor de Dios, podía manifestarlo. Nada que fuese inferior al infinito sacrificio hecho por Cristo en favor del hombre podía expresar el amor del Padre hacia la perdida humanidad.

"Porque de tal manera amó Dios al mundo, que dio a su Hijo unigénito". Lo dio, no sólo para que viviese entre los hombres, llevase los pecados de ellos y muriese para expiarlos, sino que lo dio a la raza caída. Cristo debía identificarse con los intereses y las necesidades de la humanidad. El que era uno con Dios se vinculó con los hijos de los hombres mediante lazos que jamás serán quebrantados. Jesús "no se avergüenza de llamarlos hermanos" (Hebreos 2:11). Es nuestro Sacrificio, nuestro Abogado, nuestro Hermano, que lleva nuestra forma humana delante del trono del Padre, y por las edades eternas será uno con la raza a la cual redimió: es el Hijo del hombre. Y todo esto para que el hombre fuese levantado de la ruina y degradación del pecado, para que reflejase el amor de Dios y compartiese el gozo de la santidad.

El precio pagado por nuestra redención, el sacrificio infinito que hizo nuestro Padre celestial al entregar a su Hijo para que muriese por nosotros, debe darnos un concepto elevado de lo que podemos llegar a ser por intermedio de Cristo. Al considerar el inspirado apóstol Juan la "altura", la "profundidad" y la "anchura" del amor del Padre hacia la raza que perecía, se llena de alabanzas y reverencia, y no pudiendo encontrar lenguaje adecuado con que expresar la grandeza y ternura de ese amor, exhorta al mundo a contemplarlo. "¡Mirad cuál amor nos ha dado el Padre, que seamos llamados hijos de Dios!" (1 S. Juan 3:1, V. Hispanoamericana). ¡Cuán valioso hace esto al hombre! Por la transgresión, los hijos de los hombres son hechos súbditos de Satanás. Por la fe en el sacrificio expiatorio de Cristo, los hijos de Adán pueden llegar a ser hijos de Dios. Al revestirse de la naturaleza humana, Cristo eleva a la humanidad. Al vincularse con Cristo, los hombres caídos son colocados donde pueden llegar a ser en verdad dignos del título de "hijos de Dios".

Tal amor es incomparable. ¡Que podamos ser hijos del Rey celestial! ¡Promesa preciosa! ¡Tema digno de la más profunda meditación! ¡Incomparable amor de Dios para con un mundo que no le amaba! Este pensamiento ejerce un poder subyugador que somete el entendimiento a la voluntad de Dios. Cuanto más estudiamos el carácter divino a la luz de la cruz, mejor vemos la misericordia, la ternura y el perdón unidos a la equidad y la justicia, y más claramente discernimos las pruebas innumerables de un amor infinito y de una tierna piedad que sobrepuja la ardiente simpatía y los anhelosos sentimientos de la madre para con su hijo extraviado.

PRECIOSAS

Promesas

"El que encubre sus pecados,
no prosperará; mas el que los confiesa y se aparta,
alcanzará misericordia". Proverbios 28:13.

"Deje el impío su camino, y el hombre inicuo sus
pensamientos; y vuélvase a Jehová, el cual tendrá de él
misericordia, y al Dios nuestro, el cual será amplio en
perdonar". Isaías 55:7.

"Mi pecado te declaré, y no encubrí mi iniquidad.
Confesaré, dije, contra mí mis rebeliones a Jehová; y tú
perdonaste la maldad de mi pecado". Salmo 32:5.

"Yo deshice como a nube tus rebeliones, y como a niebla tus
pecados. Tórnate a mí, porque yo te redimí". Isaías 44:22.

"Antes sed los unos con los otros benignos,
misericordiosos, perdonándoos los unos a los otros, como
también Dios os perdonó en Cristo". Efesios 4:32.

"Mas a Dios gracias, que nos da la victoria por el Señor
nuestro Jesucristo". 1 Corintios 15:57.

"¿Quién es el que vence al mundo, sino el que cree que
Jesús es el Hijo de Dios?" 1 S. Juan 5:5.

"Porque todo aquello que es nacido de Dios
vence al mundo; y esta es la victoria que vence
al mundo, nuestra fe". 1 S. Juan 5:4.

"Al que venciere, yo le daré que se siente conmigo en mi
trono; así como yo he vencido, y me he sentado con mi
Padre en su trono". Apocalipsis 3:21.

LA CONEXION NECESARIA

Cómo podría usted sacar un bote lleno de piedras del fondo de un río? A un grupo de ingenieros en el Estado de Nueva York se le confió la misión de construir un puente sobre la desembocadura de un río. Para su desgracia, descubrieron que un viejo bote de pesca había sido llenado de arena y piedras para que se hundiese hasta el fondo del río justo en el lugar donde necesitaban construir uno de los puntos de apoyo del puente. Entre otras cosas, intentaron usar enormes grúas para sacar el bote del agua pero nada funcionó.

Finalmente, uno de los miembros más jóvenes del grupo, un joven familiarizado con los asuntos del mar, hizo una sugerencia. ¿Por qué no amarrar dos barcazas al bote cuando la marea está baja? Quizá la fuerza del agua misma podría levantar el bote encallado.

Al advertir que ésta era la última alternativa, los ingenieros decidieron probarla. Cuando la marea estaba baja se amarraron fuertes cables al bote hundido desde las barcazas. Entonces esperaron que la marea subiera.

Lentamente, de una manera casi imperceptible, las barcazas comenzaron a subir. Los cables se pusieron tensos. Luego, al recoger más los cables, los ingenieros vieron cómo los mástiles del viejo bote de pesca surgían del agua. La fuerza del mar había logrado lo que las máquinas no habían podido.

Dios desea levantarnos del abismo del pecado y el desánimo. El desea que comprendamos que este mundo no es nuestro hogar. ¡Miremos a las alturas! Algún día Dios vendrá para sacarnos de este mundo. Pero sólo aquellos que estén aferrados a él podrán irse. ¿Está usted conectado con él?

Venid luego, dice Jehová, y estemos a cuenta: si vuestros pecados fueren como la grana, como la nieve serán emblanquecidos; si fueren rojos como el carmesí, vendrán a ser como blanca lana. Isaías 1:18.

Su Necesidad de Paz

El hombre estaba dotado originalmente de facultades nobles y de un entendimiento bien equilibrado. Era perfecto y estaba en armonía con Dios. Sus pensamientos eran puros, sus designios santos. Pero por la desobediencia, sus facultades se pervirtieron y el egoísmo reemplazó el amor. Su naturaleza quedó tan debilitada por la transgresión que ya no pudo, por su propia fuerza, resistir el poder del mal. Fue hecho cautivo por Satanás, y hubiera permanecido así para siempre si Dios no hubiese intervenido de una manera especial. El tentador quería desbaratar el propósito que Dios había tenido cuando creó al hombre. Así llenaría la tierra de sufrimiento y desolación y luego señalaría todo ese mal como resultado de la obra de Dios al crear al hombre.

En su estado de inocencia, el hombre gozaba de completa comunión con Aquel "en quien están escondidos todos los tesoros de la sabiduría y de la ciencia" (Colosenses 2:3). Pero después de su caída no pudo encontrar gozo en la santidad y procuró ocultarse de la presencia de Dios. Tal es aún la condición del corazón que no ha sido regenerado. No está en armonía con Dios ni encuentra gozo en la comunión con él. El pecador no podría ser feliz en la presencia de Dios; le desagradaría la compañía de los seres santos. Y si se le pudiese admitir en el cielo, no hallaría placer allí. El espíritu de amor abnegado que reina allí, donde todo corazón corresponde al corazón del Amor infinito, no haría vibrar en su alma cuerda alguna de simpatía. Sus pensamientos, sus intereses y móviles serían distintos de los que mueven a los moradores celestiales. Sería una nota discordante en la melodía del cielo. Este sería para él un lugar de tortura. Ansiaría esconderse de la presencia de Aquel que es su luz y el centro de su gozo. No es un decreto arbitrario de parte de Dios el que excluye del cielo a los impíos. Ellos mismos se han cerrado las puertas por su propia ineptitud para el compañerismo que allí reina. La gloria de

Dios sería para ellos un fuego consumidor. Desearían ser destruidos a fin de ocultarse del rostro de Aquel que murió para salvarlos.

Es imposible que escapemos por nosotros mismos del hoyo de pecado en el que estamos sumidos. Nuestro corazón es

Debe haber un poder que obre desde el interior, una vida nueva de lo alto, antes que el hombre pueda convertirse del pecado a la santidad. Ese poder es Cristo.

malo, y no lo podemos cambiar. "¿Quién podrá sacar cosa limpia de inmunda? Ninguno" (Job 14:4). "El ánimo carnal es enemistad contra Dios; pues no está sujeto a la ley de Dios, ni a la verdad lo puede estar" (Romanos 8:7). La educación, la cultura, el ejercicio de la voluntad, el esfuerzo humano, todos tienen su propia esfera, pero no tienen poder para salvarnos. Pueden producir una corrección externa de la conducta, pero no pueden cambiar el corazón; no pueden purificar las fuentes de la vida. Debe haber un poder que obre desde el interior, una vida nueva de lo alto, antes que el hombre pueda convertirse del pecado a la santidad. Ese poder es Cristo. Unicamente su gracia puede vivificar las facultades muertas del alma y atraer ésta a Dios, a la santidad.

El Salvador dijo: "A menos que el hombre naciere de nuevo", a menos que reciba un corazón nuevo, nuevos deseos, designios y móviles que lo guíen a una nueva vida, "no puede ver el reino de Dios" (S. Juan 3:3). La idea de que lo único necesario es que se desarrolle lo bueno que existe en el hombre por naturaleza, es un engaño fatal. "El hombre natural no recibe las cosas del Espíritu de Dios; porque le son insensatez; ni las puede conocer, por cuanto se disciernen espiritualmente" (1 Corintios 2:14). "No te maravilles de que te dije: Os es necesario nacer de nuevo" (S. Juan 3:7). De Cristo está escrito: "En él estaba la vida; y la vida era la luz de los hombres" (S. Juan 1:4, V. Valera), el único "nombre debajo del cielo, dado a los hombres, en el cual podamos ser salvos" (Hechos 4:12).

No basta comprender la amante bondad de Dios ni percibir la benevolencia y ternura paternal de su carácter. No basta discernir la sabiduría y justicia de su ley, ver que está fundada sobre el eterno principio del amor. El apóstol Pablo veía todo esto cuando exclamó: "Consiento en que la ley es buena", "la ley es santa, y el mandamiento, santo y justo y bueno"; mas, en la amargura de su alma agonizante y desesperada, añadió: "Soy carnal, vendido bajo el poder del pecado" (Romanos 7:16, 12, 14). Ansiaba la pureza, la justicia que no podía alcanzar por sí mismo, y dijo: "¡Oh hombre infeliz que soy! ¿Quién me libertará de este cuerpo de muerte?" (Romanos 7:24). La misma exclamación ha subido en todas partes y en todo tiempo, de corazones cargados. Para todos ellos hay una sola contestación: "¡He aquí el Cordero de Dios, que quita el pecado del mundo!" (S. Juan 1:29).

Muchas son las figuras por las cuales el Espíritu de Dios ha procurado ilustrar esta verdad y hacerla clara para las almas que desean verse libres de la carga de culpabilidad. Cuando Jacob huyó de la casa de su padre, después de haber pecado engañando a Esaú, estaba abrumado por el peso de su culpa. Se sentía solo, abandonado y separado de todo lo que le hacía preciosa la vida. El pensamiento que sobre todo oprimía su alma era el temor de que su pecado le hubiese apartado de Dios y dejado desamparado del cielo. Embargado por la tristeza, se recostó para descansar sobre la tierra desnuda. Rodeábanle las solitarias montañas y cubríale la bóveda celeste con su manto de estrellas. Habiéndose dormido, una luz extraña embargó su visión; y he aquí, de la llanura donde estaba acostado, una amplia escalera etérea parecía conducir a lo alto, hasta las mismas puertas del cielo, y los ángeles de Dios subían y descendían por ella, mientras que desde la gloria de las alturas se oía que la voz divina pronunciaba un mensaje de consuelo y esperanza. Así fue revelado a Jacob lo que satisfacía la necesidad y ansia de su alma: un Salvador. Con gozo y gratitud vio que se le mostraba un camino por el cual él, aunque pecador, podía ser devuelto a la comunión con Dios. La mística escalera de su sueño representaba al Señor Jesús, el único medio de comunicación entre Dios y el hombre.

A esta misma figura se refirió Cristo en su conversación con Natanael cuando dijo: "Veréis abierto el cielo, y a los ángeles de Dios subiendo y bajando sobre el Hijo del hombre" (S. Juan 1:51). Al caer en pecado, el hombre se enajenó de Dios; la tierra quedó separada del cielo. A través del abismo existente entre ambos no podía haber comunicación alguna. Sin embargo, mediante el Señor Jesucristo, el mundo fue nuevamente unido al cielo. Con sus propios méritos, Cristo creó un puente sobre el abismo que el pecado había abierto, de tal manera que los hombres pueden tener ahora comunión con los ángeles ministradores. Cristo une con la Fuente del poder infinito al hombre caído, débil y desamparado.

Con sus propios méritos, Cristo creó un puente sobre el abismo que el pecado había abierto, de tal manera que los hombres pueden tener ahora comunión con los ángeles ministradores. Cristo une con la Fuente del poder infinito al hombre caído, débil y desamparado.

Vanos son los sueños de progreso de los hombres, vanos todos sus esfuerzos por elevar a la humanidad, si menosprecian la única fuente de esperanza y ayuda para la raza caída. "Toda buena dádiva y todo don perfecto" (Santiago 1:17), provienen de Dios. Fuera de él, no hay verdadera excelencia de carácter, y el único camino para ir a Dios es Cristo, quien dice: "Yo soy el camino, y la verdad, y la vida; nadie viene al Padre sino por mí" (S. Juan 14:6).

El corazón de Dios suspira por sus hijos terrenales con un amor más fuerte que la muerte. Al dar a su Hijo nos ha vertido todo el cielo en un don. La vida, la muerte y la intercesión del Salvador, el ministerio de los ángeles, las súplicas del Espíritu Santo, el Padre que obra sobre todo y por todo, el interés incesante de los seres celestiales, todos son movilizados en favor de la redención del hombre.

¡Oh, contemplemos el sacrificio asombroso que fue hecho para nuestro beneficio! Procuremos apreciar el trabajo y la energía que el Cielo consagra a rescatar al perdido y hacerlo volver a la casa de su Padre. Jamás podrían haberse puesto en acción motivos más fuertes y energías más poderosas. ¿Acaso los grandiosos galardones por el bien hacer, el disfrute del cielo, la compañía de los ángeles, la comunión y el amor de Dios y de su Hijo, la elevación y el acrecentamiento de todas nuestras facultades por las edades eternas no son incentivos y estímulos poderosos que nos instan a dedicar a nuestro Creador y Salvador el amante servicio de nuestro corazón?

Y por otra parte, los juicios de Dios pronunciados contra el pecado, la retribución inevitable, la degradación de nuestro carácter y la destrucción final se presentan en la Palabra de Dios para amonestarnos contra el servicio de Satanás.

¿No apreciaremos la misericordia de Dios? ¿Qué más podría él hacer? Entremos en perfecta relación con Aquel que nos amó con amor asombroso. Aprovechemos los medios que nos han sido provistos para que seamos transformados conforme a su semejanza y restituidos a la comunión de los ángeles ministradores, a la armonía y comunión del Padre y del Hijo.

PRECIOSAS Promesas

"Gustad, y ved que es bueno Jehová;
dischoso el hombre que confiará en él".
Salmo 34:8.

"Echa sobre Jehová tu carga, y él te sustentará;
no dejará para siempre caído al justo". Salmo 55:22.

"El sana a los quebrantados de corazón,
y liga sus heridas". Salmo 147:3.

"Clemente y misericordioso es Jehová,
lento para la ira, y grande en misericordia".
Salmo 145:8.

"E invócame en el día de la angustia;
te libraré, y tú me honrarás". Salmo 50:15.

"Bienaventurado aquel en cuya
ayuda es el Dios de Jacob, cuya esperanza es
en Jehová su Dios". Salmo 146:5.

"Esforzaos todos vosotros los
que esperáis en Jehová, y tome vuestro
corazón aliento". Salmo 31:24.

"Jehová dará fortaleza a
su pueblo; Jehová bendecirá a su pueblo
en paz". Salmo 29:11.

"El que plantó el oído, ¿no
oirá? El que formó el ojo, ¿no verá?"
Salmo 94:9.

Venid a mí todos los que estáis trabajados y cargados, y yo os haré descansar. S. Mateo 11:28.

Libres de Culpa

¿Cómo se justificará el hombre con Dios? ¿Cómo se hará justo el pecador? Sólo por intermedio de Cristo podemos ser puestos en armonía con Dios y con la santidad; pero ¿cómo debemos ir a Cristo? Muchos formulan hoy la misma pregunta que hizo la multitud el día de Pentecostés, cuando, convencida de pecado, exclamó: "¿Qué haremos?" La primera palabra de la contestación del apóstol Pedro fue: "Arrepentíos". Poco después, en otra ocasión, dijo: "Arrepentíos pues, y volveos a Dios; para que sean borrados vuestros pecados" (Hechos 2:37, 38; 3:19).

El arrepentimiento comprende tristeza por el pecado y abandono del mismo. No renunciamos al pecado a menos que veamos su pecaminosidad. Mientras no lo repudiemos de corazón, no habrá cambio real en nuestra vida.

Muchos no entienden la naturaleza verdadera del arrepentimiento. Muchas personas se entristecen por haber pecado, y aun se reforman exteriormente, porque temen que su mala vida les acarree sufrimientos. Pero esto no es arrepentimiento en el sentido bíblico. Lamentan el dolor más bien que el pecado. Tal fue el pesar de Esaú cuando vio que había perdido su primogenitura para siempre. Balaam, aterrorizado por el ángel que estaba en su camino con la espada desenvainada, reconoció su culpa porque temía perder la vida, mas no experimentó un sincero arrepentimiento del pecado; no cambió de propósito ni aborreció el mal. Judas Iscariote, después de traicionar a su Señor, exclamó: "¡He pecado entregando la sangre inocente!" (S. Mateo 27:4, V. Valera).

Esta confesión fue arrancada a su alma culpable por un tremendo sentimiento de condenación y una pavorosa expectación de juicio. Las consecuencias que habría de cosechar le llenaban de terror, pero no experimentó profundo quebrantamiento de corazón ni dolor en su alma por haber traicionado al Hijo inmaculado de Dios y negado al Santo de Israel. Cuando el faraón de Egipto sufría bajo los juicios de Dios, reconocía su pecado a fin de escapar al castigo, pero volvía a desafiar al cielo tan pronto como cesaban las plagas. Todos los mencionados lamentaban los resultados del pecado, pero no experimentaban pesar por el pecado mismo.

Pero cuando el corazón cede a la influencia del Espíritu de Dios, la conciencia se vivifica y el pecador discierne algo de la profundidad y santidad de la sagrada ley de Dios, fundamento de su gobierno en los cielos y en la tierra. "La Luz verdadera, que alumbra a todo hombre que viene a este mundo" (S. Juan 1:9, V. Valera), ilumina las cámaras secretas del alma, y quedan reveladas las cosas ocultas. La convicción se posesiona de la mente y del corazón. El peca-

El es la fuente de todo buen impulso. Es el único que puede implantar en el corazón enemistad contra el pecado.

dor reconoce entonces la justicia de Jehová, y siente terror de aparecer en su iniquidad e impureza delante del que escudriña los corazones. Ve el amor de Dios, la belleza de la santidad y el gozo de la pureza. Ansía ser purificado y restituido a la comunión del cielo.

La oración de David después de su caída ilustra la naturaleza del verdadero dolor por el pecado. Su arrepentimiento fue sincero y profundo. No se esforzó él por atenuar su culpa y su oración no fue inspirada por el deseo de escapar al juicio que le amenazaba. David veía la enormidad de su transgresión y la contaminación de su alma; aborrecía su pecado. No sólo pidió perdón, sino también que su corazón fuese purificado. Anhelaba el gozo de la santidad y ser restituido a la armonía y comunión con Dios. Este era el lenguaje de su alma:

"¡Bienaventurado aquel cuya transgresión ha sido perdonada, y cubierto su pecado! ¡Bienaventurado el hombre a quien Jehová no atribuye la iniquidad, y en cuyo espíritu no hay engaño!" (Salmo 32:1, 2).

"¡Apiádate de mí, oh Dios, conforme a tu misericordia; conforme a la muchedumbre de tus piedades, borra mis transgresiones!… Porque yo reconozco mis transgresiones, y mi pecado está siempre delante de mí… ¡Purifícame con hisopo, y seré limpio; lávame, y quedaré más blanco que la nieve!… ¡Crea en mí, oh Dios, un corazón limpio, y renueva un espíritu recto dentro de mí! ¡No me eches de tu presencia, y no me quites tu santo Espíritu! ¡Restitúyeme el gozo de tu salvación, y el Espíritu de gracia me sustente!… ¡Líbrame del delito de sangre, oh Dios, el Dios de mi salvación! ¡cante mi lengua tu justicia!" (Salmo 51:1-14).

Sentir un arrepentimiento como éste es algo que supera nuestro propio poder; se lo obtiene únicamente de Cristo, quien ascendió a lo alto y dio dones a los hombres.

Precisamente en este punto es donde muchos yerran, y por ello no reciben la ayuda que Cristo quiere darles. Piensan que no pueden ir a Cristo a menos que se arrepientan primero, y que el arrepentimiento los prepara para que sus pecados les sean perdonados. Es verdad que el arrepentimiento precede al perdón de los pecados; porque es únicamente el corazón quebrantado y contrito el que siente la necesidad de un Salvador; pero para poder ir al Señor Jesús, ¿debe el pecador esperar hasta que se haya arrepentido? ¿Debe hacerse del arrepentimiento un obstáculo entre el pecador y el Salvador?

La Sagrada Escritura no enseña que el pecador deba arrepentirse antes de poder aceptar la invitación de Cristo: "¡Venid a mí todos los que estáis cansados y agobiados, y yo os daré descanso!" (S. Mateo 11:28). La virtud proveniente de Cristo es la que nos induce a un arrepentimiento genuino. El apóstol Pedro presentó el asunto de una manera muy clara cuando dijo a los israelitas: "A éste, Dios le ensalzó con su diestra para ser Príncipe y Salvador, a fin de dar arrepentimiento a Israel, y remisión de pecados" (Hechos 5:31). Tan imposible es arrepentirse si el Espíritu de Cristo no despierta la conciencia como lo es obtener el perdón sin Cristo.

El es la fuente de todo buen impulso. Es el único que puede implantar en el corazón enemistad contra el pecado. Todo deseo de verdad y pureza, toda convicción de nuestra propia pecaminosidad evidencian que su Espíritu está obrando en nuestro corazón.

Jesús dijo: "Yo, si fuere levantado en alto de sobre la tierra, a todos los atraeré a mí mismo" (S. Juan 12:32). Cristo debe ser revelado al pecador como el Salvador que murió por los pecados del mundo; y mientras contemplamos al Cordero de Dios sobre la cruz del Calvario, el misterio de la redención comienza a revelarse a nuestra mente y la bondad de Dios nos guía al arrepentimiento. Al morir por los pecadores, Cristo manifestó un amor incompren-

Si percibís vuestra condición pecaminosa, no aguardéis hasta haceros mejores a vosotros mismos. Nada podemos hacer por nosotros mismos. Debemos ir a Cristo tales como somos.

sible; y a medida que el pecador lo contempla, este amor enternece el corazón, impresiona la mente e inspira contrición al alma.

Es verdad que a veces los hombres se avergüenzan de sus caminos pecaminosos y abandonan algunos de sus malos hábitos antes de darse cuenta de que son atraídos a Cristo. Pero siempre que, animados de un sincero deseo de hacer el bien, hacen un esfuerzo por reformarse, es el poder de Cristo el que los está atrayendo. Una influencia de la cual no se dan cuenta obra sobre su alma, su conciencia se vivifica y su conducta externa se enmienda. Y cuando Cristo los induce a mirar su cruz y a contemplar a Aquel que fue traspasado por sus pecados, el mandamiento se graba en su conciencia. Les es revelada la maldad de su vida, el pecado profundamente arraigado en su alma. Comienzan a entender algo de la justicia de Cristo, y exclaman: "¿Qué es el pecado, para que haya exigido tal sacrificio por la redención de su víctima? ¿Fueron necesarios todo este amor, todo este sufrimiento, toda esta humillación, para que no pereciéramos, sino que tuviésemos vida eterna?"

El pecador puede resistir a este amor, puede rehusar ser atraído a Cristo; pero si no se resiste, será atraído a Jesús; el cono-

Ningún padre según la carne podría ser tan paciente con las faltas y los yerros de sus hijos, como lo es Dios con aquellos a quienes trata de salvar.

cimiento del plan de la salvación le guiará al pie de la cruz, arrepentido de sus pecados, los cuales causaron los sufrimientos del amado Hijo de Dios.

La misma Inteligencia divina que obra en las cosas de la naturaleza habla al corazón de los hombres, y crea en él un deseo indecible de algo que no tiene. Las cosas del mundo no pueden satisfacer su ansia. El Espíritu de Dios les suplica que busquen las únicas cosas que pueden dar paz y descanso: la gracia de Cristo y el gozo de la santidad. Por medio de influencias visibles e invisibles, nuestro Salvador está constantemente obrando para atraer el corazón de los hombres y llevarlos de los vanos

placeres del pecado a las bendiciones infinitas que pueden obtener de él. A todas esas almas que procuran vanamente beber en las cisternas rotas de este mundo, se dirige el mensaje divino: "El que tiene sed, ¡venga! ¡y el que quiera, tome del agua de la vida de balde!" (Apocalipsis 22:17).

Vosotros, en cuyo corazón existe el anhelo de algo mejor que cuanto este mundo pueda dar, reconoced en este deseo la voz de Dios que habla a vuestra alma. Pedidle que os dé arrepentimiento, que os revele a Cristo en su amor infinito y en su pureza absoluta. En la vida del Salvador, fueron perfectamente ejemplificados los principios de la ley de Dios: el amor a Dios y al hombre. La benevolencia y el amor desinteresado fueron la vida de su alma. Cuando contemplamos al Redentor, y su luz nos inunda, es cuando vemos la pecaminosidad de nuestro corazón.

Como Nicodemo, podemos lisonjearnos de que nuestra vida ha sido íntegra, de que nuestro carácter moral es correcto, y pensar que no necesitamos humillar nuestro corazón delante de Dios como el pecador común; pero cuando la luz de Cristo resplandezca en nuestra alma, veremos cuán impuros somos; discerniremos el egoísmo de nuestros motivos y la enemistad contra Dios, que han manchado todos los actos de nuestra vida. Entonces conoceremos que nuestra propia justicia es en verdad como trapos de inmundicia y que solamente la sangre de Cristo puede limpiarnos de la contaminación del pecado y renovar nuestro corazón a la semejanza del Señor.

Un rayo de la gloria de Dios, una vislumbre de la pureza de Cristo, que penetre en el alma, hace dolorosamente visible toda mancha de pecado, y descubre la deformidad y los defectos del carácter humano. Hace patentes los deseos profanos, la incredulidad del corazón y la impureza de los labios. Los actos de deslealtad por los cuales el pecador anula la ley de Dios quedan expuestos a su vista, y su espíritu se aflige y se oprime bajo la influencia escrutadora del Espíritu de Dios. En presencia del carácter puro y sin mancha de Cristo, el transgresor se aborrece a sí mismo.

Cuando el profeta Daniel contempló la gloria que rodeaba al mensajero celestial que se le había enviado, se sintió abrumado por su propia debilidad e imperfección. Describiendo el efecto de la maravillosa escena, relató: "No quedó en mí esfuerzo, y mi lozanía se me demudó en palidez de muerte, y no retuve fuerza alguna" (Daniel 10:8). El alma así conmovida odiará su egoísmo y amor propio, y mediante la justicia de Cristo buscará la pureza de corazón que armoniza con la ley de Dios y con el carácter de Cristo.

El apóstol Pablo dice que "en cuanto a justicia que haya en la ley", es decir, en lo referente a las obras externas, era "irreprensible" (Filipenses 3:6), pero cuando discernió el carácter espiritual de la ley, se reconoció pecador. Juzgado por la letra de la ley como los hombres la aplican a la vida externa, él se había abstenido de pecar; pero cuando miró en la profundidad de los santos preceptos, y se vio como Dios le veía, se humilló profundamente y confesó así su culpabilidad: "Y yo aparte de la ley vivía en un tiempo: mas cuando vino el mandamiento, revivió el pecado, y yo morí" (Romanos 7:9). Cuando vio la naturaleza espiritual de la ley, se le mostró el pecado

en todo su horror, y su estimación propia se desvaneció.

No todos los pecados son de igual magnitud delante de Dios; hay diferencia de pecados a su juicio, como la hay a juicio de los hombres. Sin embargo, aunque este o aquel acto malo pueda parecer trivial a los ojos de los hombres, ningún pecado es pequeño a la vista de Dios. El juicio de los hombres es parcial e imperfecto; mas Dios ve todas las cosas como son realmente. Al borracho se le desprecia y se le dice que su pecado le excluirá del cielo, mientras que demasiado a menudo el orgullo, el egoísmo y la codicia no son reprendidos. Sin embargo, son pecados que ofenden en forma especial a Dios, porque contrarían la benevolencia de su carácter, ese amor abnegado que es la misma atmósfera del universo que no ha caído. El que comete alguno de los pecados más groseros puede avergonzarse y sentir su pobreza y necesidad de la gracia de Cristo; pero el orgulloso no siente necesidad alguna y así cierra su corazón a Cristo y se priva de las infinitas bendiciones que él vino a derramar.

El pobre publicano que oraba diciendo: "¡Dios, ten misericordia de mí, pecador!" (S. Lucas 18:13), se consideraba como un hombre muy malvado, y así le veían los demás; pero él sentía su necesidad, y con su carga de pecado y vergüenza se presentó a Dios e imploró misericordia. Su corazón estaba abierto para que el Espíritu de Dios hiciese en él su obra de gracia y le libertase del poder del pecado. La oración jactanciosa y presuntuosa del fariseo demostró que su corazón estaba cerrado a la influencia del Espíritu Santo. Por estar lejos de Dios, no tenía idea de su propia corrupción, que contrastaba con la perfección de la santidad divina. No sentía necesidad alguna y nada recibió.

Si percibís vuestra condición pecaminosa, no aguardéis hasta haceros mejores a vosotros mismos. ¡Cuántos hay que piensan que no son bastante buenos para ir a Cristo! ¿Esperáis haceros mejores por vuestros propios esfuerzos? "¿Mudará el negro su pellejo, y el leopardo sus manchas? Así también podréis vosotros hacer bien, estando habituados a hacer mal" (Jeremías

Tened cuidado con las dilaciones. No posterguéis la obra de abandonar vuestros pecados y buscar la pureza del corazón por medio del Señor Jesús.

13:23, V. Valera). Unicamente en Dios hay ayuda para nosotros. No debemos permanecer en espera de persuasiones más fuertes, de mejores oportunidades, o de tener un carácter más santo. Nada podemos hacer por nosotros mismos. Debemos ir a Cristo tales como somos.

Pero nadie se engañe a sí mismo pensando que Dios, en su grande amor y misericordia, salvará aun a los que rechazan su gracia. La excesiva corrupción del pecado puede medirse tan sólo a la luz de la cruz. Cuando los hombres insisten en que Dios es demasiado bueno para desechar al pecador, miren al Calvario. Si Cristo cargó con

la culpa del desobediente y sufrió en lugar del pecador, fue porque no había otra manera en que el hombre pudiera salvarse, porque sin ese sacrificio era imposible que la familia humana escapase del poder contaminador del pecado y fuese restituida a la comunión con seres santos, era imposible que volviese a participar de la vida espiritual. El amor, los sufrimientos y la muerte del Hijo de Dios, todo atestigua la terrible enormidad del pecado y prueba que no hay modo de escapar de su poder ni esperanza de una vida superior, sino mediante la sumisión del alma a Cristo.

Algunas veces los impenitentes se excusan diciendo de los que profesan ser cristianos: "Soy tan bueno como ellos. No son más abnegados, sobrios ni circunspectos en su conducta que yo. Les gustan los placeres y la complacencia propia tanto como a mí". Así hacen de las faltas ajenas una excusa para descuidar su deber. Pero los pecados y las faltas de otros no disculpan a nadie, porque el Señor no nos ha dado un modelo humano sujeto a errar. El inmaculado Hijo de Dios es quien nos ha sido dado como ejemplo, y los que se quejan de la mala conducta de quienes profesan ser creyentes deberían presentar una vida mejor y ejemplos más nobles. Si tienen un concepto tan alto de lo que un cristiano debe ser, ¿no es su pecado tanto mayor? Saben lo que es correcto, y sin embargo rehúsan hacerlo.

Tened cuidado con las dilaciones. No posterguéis la obra de abandonar vuestros pecados y buscar la pureza del corazón por medio del Señor Jesús. En esto es donde miles y miles han errado a costa de su perdición eterna. No insistiré aquí en la brevedad e incertidumbre de la vida; pero se corre un terrible peligro, que no se comprende lo suficiente, cuando se posterga el acto de ceder a la voz suplicante del Santo Espíritu de Dios y se prefiere vivir en el pecado, porque tal demora consiste realmente en esto. No se puede continuar en el pecado, por pequeño que se lo considere, sin correr el riesgo de una pérdida infinita. Lo que no venzamos nos vencerá a nosotros y nos destruirá.

Adán y Eva se convencieron de que de un acto tan ínfimo como el de comer la fruta prohibida no podrían resultar consecuencias tan terribles como las que Dios había anunciado. Pero ese acto pequeño era una transgresión de la ley santa e inmutable de Dios y separó de éste al hombre y abrió las compuertas por las cuales se volcaron sobre nuestro mundo la muerte y desgracias innumerables: y como consecuencia de la desobediencia del hombre, siglo tras siglo ha subido de nuestra tierra un continuo lamento de aflicción y la creación gime a una bajo la carga terrible del dolor. El cielo mismo ha sentido los efectos de la rebelión del hombre contra Dios. El Calvario se destaca como un recuerdo del sacrificio asombroso que se requirió para expiar la transgresión de la ley divina. No consideremos, pues, el pecado como cosa trivial.

Toda transgresión, todo descuido o rechazamiento de la gracia de Cristo, obra indirectamente sobre nosotros; endurece el corazón, deprava la voluntad, entorpece el entendimiento, y no sólo os vuelve menos inclinados a ceder, sino también menos capaces de oír las tiernas súplicas del Espíritu de Dios.

Muchos están apaciguando su conciencia inquieta con el pensamiento de que pueden cambiar su mala conducta cuando quieran; de que pueden tratar con ligereza las invitaciones de la misericordia y, sin embargo, seguir sintiendo las impresiones de ella. Piensan que después de menospreciar al Espíritu de gracia, después de echar su influencia al lado de Satanás, en un momento de extrema necesidad pueden cambiar su modo de proceder. Pero esto no se logra tan fácilmente. La experiencia y la educación de una vida entera han amoldado de tal manera el carácter, que pocos desean después recibir la imagen de Jesús.

Un solo rasgo malo en el carácter, un solo deseo pecaminoso, persistentemente albergado, neutraliza con el tiempo todo el poder del Evangelio. Cada vez que uno cede al pecado, se fortalece la aversión del alma hacia Dios. El hombre que manifiesta un descreído atrevimiento o una estólida indiferencia hacia la verdad, no está sino segando la cosecha de su propia siembra. En toda la Escritura no hay amonestación más terrible contra el hábito de jugar con el mal que estas palabras del sabio: "Prenderán al impío sus propias iniquidades" (Proverbios 5:22, V. Valera).

Cristo está listo para libertarnos del pecado, pero no fuerza la voluntad; y si ésta, por la persistencia en la transgresión, se inclina por completo al mal, y no *deseamos* ser libres ni *queremos* aceptar la gracia de Cristo, ¿qué más puede él hacer? Al rechazar deliberadamente su amor, hemos labrado nuestra propia destrucción. "¡He aquí ahora es el tiempo acepto! ¡he aquí ahora es el día de salvación!" (2 Corintios

6:2). "¡Hoy, si oyereis su voz, no endurezcáis vuestros corazones!" (Hebreos 3:7, 8).

"El hombre ve lo que aparece, mas el Señor ve el corazón" (1 Samuel 16:7, V. de Scío), el corazón humano con sus encontradas emociones de gozo y de tristeza, el extraviado y caprichoso corazón, morada de tanta impureza y engaño. El Señor cono-

Cuando Satanás acude a decirte que eres un gran pecador, alza los ojos a tu Redentor y habla de sus méritos. Lo que te ayudará será mirar su luz.

ce sus motivos, sus mismos intentos y designios. Id a él con vuestra alma manchada tal cual está. Como el salmista, abrid sus cámaras al ojo que todo lo ve, exclamando: "¡Escudríñame, oh Dios, y conoce mi corazón; ensáyame, y conoce mis pensamientos; y ve si hay en mí algún camino malo, y guíame en el camino eterno!" (Salmo 139:23, 24).

Muchos aceptan una religión intelectual, una forma de santidad, sin que el corazón esté limpio. Sea vuestra oración: "¡Crea en mí, oh Dios, un corazón limpio, y renueva un espíritu recto dentro de mí!" (Salmo 51:10). Sed leales con vuestra propia alma. Sed tan diligentes, tan persistentes, como lo seríais si vuestra vida mortal estuviese en peligro. Este es un asunto que debe decidirse entre Dios y vuestra alma, y es una decisión para la eternidad. Una esperanza supuesta, que no sea más que esto, llegará a ser vuestra ruina.

Estudiad la Palabra de Dios con oración. Ella os presenta, en la ley de Dios y en la vida de Cristo, los grandes principios de la santidad, "sin la cual nadie verá al Señor" (Hebreos 12:14). Convence de pecado; revela plenamente el camino de la salvación. Prestadle atención como a la voz de Dios hablando a vuestra alma.

Cuando comprendáis la enormidad del pecado, cuando os veáis como sois en realidad, no os entreguéis a la desesperación, pues a los pecadores es a quienes Cristo vino a salvar. No tenemos que reconciliar a Dios con nosotros, sino que —¡oh maravilloso amor!— "Dios estaba en Cristo, reconciliando consigo mismo al mundo" (2 Corintios 5:19). Por su tierno amor está atrayendo a sí los corazones de sus hijos errantes. Ningún padre según la carne podría ser tan paciente con las faltas y los yerros de sus hijos, como lo es Dios con aquellos a quienes trata de salvar. Nadie podría argüir más tiernamente con el pecador. Jamás enunciaron los labios humanos invitaciones más tiernas que las dirigidas por él al extraviado. Todas sus promesas, sus amonestaciones, no son sino la expresión de su amor inefable.

Cuando Satanás acude a decirte que eres un gran pecador, alza los ojos a tu Redentor y habla de sus méritos. Lo que te ayudará será mirar su luz. Reconoce tu pecado, pero di al enemigo que "Cristo Jesús vino al mundo para salvar a los pecadores" (1 Timoteo 1:15), y que puedes ser salvo por su incomparable amor. El Señor

Jesús hizo una pregunta a Simón con respecto a dos deudores. El primero debía a su señor una suma pequeña y el otro una muy grande; pero él perdonó a ambos, y Cristo preguntó a Simón cuál deudor amaría más a su señor. Simón contestó: "Aquel a quien más perdonó" (S. Lucas 7:43). Hemos sido grandes deudores, pero Cristo murió para que fuésemos perdonados. Los méritos de su sacrificio son suficientes para presentarlos al Padre en nuestro favor. Aquellos a quienes ha perdonado más le amarán más, y estarán más cerca de su trono para alabarle por su grande amor y su sacrificio infinito. Cuanto más plenamente comprendemos el amor de Dios, mejor nos percatamos de la pecaminosidad del pecado. Cuando vemos cuán larga es la cadena que se nos arrojó para rescatarnos, cuando entendemos algo del sacrificio infinito que Cristo hizo en nuestro favor, nuestro corazón se derrite de ternura y contrición.

PRECIOSAS

Promesas

"Crea en mí, oh Dios, un corazón limpio, y renueva un espíritu recto dentro de mí. No me eches de delante de ti, y no quites de mí tu santo Espíritu". Salmo 51:10, 11.

"Y os daré corazón nuevo, y pondré espíritu nuevo dentro de vosotros; y quitaré de vuestra carne el corazón de piedra, y os daré corazón de carne. Y pondré dentro de vosotros mi Espíritu, y haré que andéis en mis mandamientos, y guardéis mis derechos, y los pongáis por obra". Ezequiel 36:26, 27.

"Enséñame a hacer tu voluntad, porque tú eres mi Dios. Tu buen Espíritu me guíe a tierra de rectitud". Salmo 143:10.

"Entonces respondió y hablóme, diciendo: Esta es palabra de Jehová a Zorobabel, en que se dice: No con ejército, ni con fuerza, sino con mi Espíritu, ha dicho Jehová de los ejércitos". Zacarías 4:6.

"Y el Dios de esperanza os llene de todo gozo y paz creyendo, para que abundéis en esperanza por la virtud del Espíritu Santo". Romanos 15:13.

"Que os dé, conforme a las riquezas de su gloria, el ser corroborados con potencia en el hombre interior por su Espíritu. Que habite Cristo por la fe en vuestro corazón; para que, arraigados, y fundados en amor, podáis. . . conocer el amor de Cristo, que excede a todo conocimiento, para que seáis llenos de toda la plenitud de Dios". Efesios 3:16-19.

"Y yo rogaré al Padre, y os dará otro Consolador, para que esté con vosotros para siempre. . . Mas el Consolador, el Espíritu Santo, al cual el Padre enviará en mi nombre, él os enseñará todas las cosas, y os recordará todas las cosas que os he dicho". S. Juan 14:16, 26.

EXCESO DE EQUIPAJE

"Vamos a necesitar una bocina y señales de doblar en esta cosa si seguimos descendiendo", dijo en voz alta el capitán McIntyre. "No creo que podamos llegar a la pista. Espero que los semáforos estén verdes en la carretera 41. No me gustaría que me diesen un boleto por exceso de velocidad".

El capitán McIntyre intentó por todos los medios encender el motor apagado, pero ninguno de los trucos que había aprendido durante sus 30 años de piloto pudieron lograr el milagro necesario. "Pues, Mac, allá en Escocia, cuando no podíamos halar la carreta, aligerábamos la carga", sugirió el ingeniero de vuelos.

"Buena idea". El capitán se dirigió a la tripulación. "Este es su trabajo: Todo lo que no esté atado al piso será echado fuera y lo que está atado, hay que desatarlo. Las únicas excepciones son las cosas que gritan y patalean cuando usted intente echarlas del avión".

Llenos de pánico pero en silencio, los miembros de la tripulación lanzaron al vacío todo cuanto pudieron con tal de salvar su misión. Un Mercedes-Benz nuevecito salió rodando por la compuerta de carga y cayó al océano con una leve salpicadura para hundirse hasta el fondo. Maletas finas con su contenido siguieron. Cámaras de video y luces se rompieron con el impacto de la superficie del mar. Su valor no podía compararse al valor de las vidas humanas.

Aun así, el avión seguía descendiendo, incapaz de planear, pero sin terminar de caer. "¿Capitán, qué en cuanto a los instrumentos musicales y su guitarra?" El capitán McIntyre tragó en seco al imaginarse como su compañera por más de cuarenta años se haría trizas al caer en el agua. "No hay excepciones —gritó Mac—. Es ella o yo". Aquellas palabras hicieron eco en sus oídos. Finalmente, después de minutos interminables de incertidumbre, el avión ganó un poco de altitud y el capitán pudo aterrizarlo sin problemas en la carretera 41.

¿Cuántas veces volamos nosotros con exceso de equipaje? "Tengo que ser bueno". "Dios no puede amarme tal como soy". "¿Cómo es que Dios podrá perdonarme?" Jesús no sólo perdonó pecados mientras estuvo aquí en la tierra, sino que comió y bebió con los pecadores. El te ama tal como eres. No tienes que cambiar antes de venir a él; ¡él se encargará de cambiarte! El ha prometido darte un nuevo corazón y el poder para vivir una vida santa.

Si confesamos nuestros pecados, él es fiel
y justo para perdonar nuestros pecados, y limpiarnos
de toda maldad. 1 S. Juan 1:9.

Una Conciencia Limpia

"El que encubre sus transgresiones, no prosperará; mas quien las confiese y las abandone, alcanzará misericordia" (Proverbios 28:13). Las condiciones indicadas para obtener la misericordia de Dios son sencillas, justas y razonables. El Señor no nos exige que hagamos alguna cosa penosa para obtener el perdón de nuestros pecados. No necesitamos hacer largas y cansadoras peregrinaciones, ni ejecutar duras penitencias, para encomendar nuestras almas al Dios de los cielos o para expiar nuestras transgresiones, sino que todo aquel que confiese su pecado y se aparte de él alcanzará misericordia.

El apóstol dice: "Confesad pues vuestros pecados los unos a los otros, y orad los unos por los otros, para que seáis sanados" (Santiago 5:16). Confesad vuestros pecados a Dios, el único que puede perdonarlos, y vuestras faltas unos a otros. Si has dado motivo de ofensa a tu amigo o vecino, debes reconocer tu falta, y es su deber perdonarte con buena voluntad. Debes entonces buscar el perdón de Dios, porque el hermano a quien ofendiste pertenece a Dios, y al perjudicarle pecaste contra su Creador y Redentor. El caso es presentado al único y verdadero Mediador, nuestro gran Sumo Sacerdote, que "ha sido tentado en todo punto, así como nosotros, mas sin pecado", quien puede "compadecerse de nuestras flaquezas" (Hebreos 4:15), y limpiarnos de toda mancha de pecado.

Los que no han humillado su alma delante de Dios reconociendo su culpa, no han cumplido todavía la primera condición de la aceptación. Si no hemos experimentado ese arrepentimiento del cual nadie debe arrepentirse, y no hemos confesado nuestros pecados con verdadera humillación del alma y quebrantamiento del espíritu, aborreciendo nuestra iniquidad, no hemos buscado verdaderamente el perdón de nuestros pecados; y si nunca lo hemos buscado, no hemos encontrado la paz de Dios. La única razón por la cual no obtenemos la remisión de nuestros pecados pasados es que no estamos dispuestos a humillar nuestro corazón ni a cumplir las condiciones que impone la Palabra de verdad. Se nos dan instrucciones explícitas tocante a este asunto. La confesión de nuestros pecados, ya sea pública o privada, debe ser de corazón y voluntaria. No debe ser arrancada al pecador. No debe hacerse de un modo ligero y descuidado o exigirse de aquellos que no tienen una comprensión real del carácter aborrecible del pecado. La confesión que brota de lo íntimo del alma sube al Dios de piedad infinita. El salmista dice:

Las condiciones indicadas para obtener la misericordia de Dios son sencillas, justas y razonables. El Señor no nos exige que hagamos alguna cosa penosa para obtener el perdón de nuestros pecados.

"Cercano está Jehová a los quebrantados de corazón, y salva a los de espíritu contrito" (Salmo 34:18).

La verdadera confesión es siempre de un carácter específico y reconoce pecados particulares. Pueden ser de tal naturaleza que sólo puedan presentarse delante de Dios. Pueden ser males que deban confesarse individualmente a los que hayan sufrido daño por ellos; pueden ser de un carácter público, y en ese caso deberán confesarse públicamente. Pero toda confe-

sión debe hacerse definida y directa, para reconocer en forma definida los pecados de los que uno sea culpable.

En los días de Samuel los israelitas se alejaron de Dios. Estaban sufriendo las consecuencias del pecado, pues habían perdido su fe en Dios, el discernimiento de su poder y de su sabiduría para gobernar a la nación, y no confiaban en la capacidad del Señor para defender y vindicar su causa. Se apartaron del gran Gobernante del universo, y desearon ser gobernados como las naciones que los rodeaban. Antes de encontrar paz hicieron esta confesión explícita: "Porque a todos nuestros pecados hemos añadido esta maldad de pedir para nosotros un rey" (1 Samuel 12:19). Tenían que confesar el preciso pecado del cual se habían hecho culpables. Su ingratitud oprimía sus almas y los separaba de Dios.

La confesión no es aceptable para Dios si no va acompañada por un arrepentimiento sincero y una reforma. Debe haber cambios decididos en la vida; todo lo que ofenda a Dios debe dejarse. Tal será el resultado de una verdadera tristeza por el pecado. Se nos presenta claramente lo que tenemos que hacer de nuestra parte: "¡Lavaos, limpiaos; apartad la maldad de vuestras obras de delante de mis ojos; cesad de hacer lo malo; aprended a hacer lo bueno; buscad lo justo; socorred al oprimido; mantened el derecho del huérfano, defended la causa de la viuda" (Isaías 1:16, 17). "Si el inicuo devolviere la prenda, restituyere lo robado, y anduviere en los estatutos de la vida, sin cometer iniquidad, ciertamente vivirá; no morirá" (Ezequiel 33:15). El apóstol Pablo dice, hablando de la obra del arrepentimiento: "El que fuisteis entristecidos según Dios, ¡qué solícito cuidado obró en vosotros! y ¡qué defensa de vosotros mismos! y ¡qué indignación!... y ¡qué celo! y ¡qué justicia vengativa! En todo os habéis mostrado puros en este asunto" (2 Corintios 7:11).

Una vez que el pecado amortiguó la percepción moral, el que obra mal no discierne los defectos de su carácter ni comprende la enormidad del mal que ha cometido; y a menos que ceda al poder convincente del Espíritu Santo permanecerá parcialmente ciego con respecto a su pecado. Sus confesiones no son sinceras ni provienen del corazón. Cada vez que reconoce su maldad añade una disculpa de su conducta al declarar que si no hubiese sido por ciertas circunstancias no habría hecho esto o aquello que se le reprocha.

Después que Adán y Eva hubieron comido de la fruta prohibida, los embargó un sentimiento de vergüenza y terror. Al principio, sólo pensaban en cómo podrían excusar su pecado y escapar a la temida sentencia de muerte. Cuando el Señor les habló tocante a su pecado, Adán respondió echando la culpa en parte a Dios y en parte a su compañera: "La mujer que pusiste aquí conmigo me dio del árbol, y comí". La mujer echó la culpa a la serpiente, diciendo: "La serpiente me engañó, y comí" (Génesis 3:12, 13). ¿Por qué hiciste la serpiente? ¿Por qué le permitiste que entrase en el Edén? Esas eran las preguntas implicadas en la excusa que dio por su pecado, y de este modo hacía a Dios responsable de su caída. El espíritu de justificación propia tuvo su origen en el padre de la mentira, y lo han manifestado todos los hijos e hijas de Adán. Las confesiones de esta clase no

son inspiradas por el Espíritu divino, y no serán aceptables para Dios. El arrepentimiento verdadero induce al hombre a reconocer su propia maldad, sin engaño ni hipocresía. Como el pobre publicano que no osaba ni aun alzar los ojos al cielo, exclamará: "Dios, ten misericordia de mí, pecador", y los que reconozcan así su iniquidad serán justificados, porque el Señor Jesús presentará su sangre en favor del alma arrepentida.

> *El corazón humilde y quebrantado, enternecido por el arrepentimiento genuino, apreciará algo del amor de Dios y del costo del Calvario; y como el hijo se confiesa a un padre amoroso, así presentará el que esté verdaderamente arrepentido todos sus pecados delante de Dios.*

Los ejemplos de arrepentimiento y humillación genuinos que da la Palabra de Dios revelan un espíritu de confesión que no busca excusas por el pecado ni intenta su justificación propia. El apóstol Pablo no procuraba defenderse, sino que pintaba su pecado con sus colores más oscuros y no intentaba atenuar su culpa. Dijo: "Lo cual también hice en Jerusalem, encerrando yo mismo en la cárcel a muchos de los santos, habiendo recibido autorización de parte de los jefes de los sacerdotes; y cuando se les daba muerte, yo echaba mi voto contra ellos. Y castigándolos muchas veces, por todas las sinagogas, les hacía fuerza para que blasfemasen; y estando sobremanera enfurecido contra ellos, iba en persecución de ellos hasta las ciudades extranjeras" (Hechos 26:10, 11). Sin vacilar declaró: "Cristo Jesús vino al mundo para salvar a los pecadores; de los cuales yo soy el primero" (1 Timoteo 1:15).

El corazón humilde y quebrantado, enternecido por el arrepentimiento genuino, apreciará algo del amor de Dios y del costo del Calvario; y como el hijo se confiesa a un padre amoroso, así presentará el que esté verdaderamente arrepentido todos sus pecados delante de Dios. Y está escrito: "Si confesamos nuestros pecados, él es fiel y justo para perdonarnos nuestros pecados, y limpiarnos de toda iniquidad" (1 S. Juan 1:9).

PRECIOSAS

Promesas

"Y dará a luz un hijo, y llamarás su
nombre Jesús, porque él salvará a su pueblo
de sus pecados". S. Mateo 1:21.

"Porque el Hijo del Hombre vino a buscar y a
salvar lo que se había perdido". S. Lucas 19:10.

"Mas él herido fue por nuestras rebeliones, molido por
nuestros pecados; el castigo de nuestra paz fue sobre él, y
por su llaga fuimos nosotros curados". Isaías 53:5.

"Y les daré corazón para que me conozcan, que
yo soy Jehová; y me serán por pueblo, y yo les seré a ellos
por Dios; porque se volverán a mí de todo
su corazón". Jeremías 24:7.

"Porque los montes se moverán, y los collados
temblarán; mas no se apartará de ti mi misericordia, ni
el pacto de mi paz vacilará, dijo Jehová, el que tiene
misericordia de ti". Isaías 54:10.

"Sáname, oh Jehová, y seré sano; sálvame, y seré salvo;
porque tú eres mi alabanza". Jeremías 17:14.

"He aquí que yo le hago subir sanidad y
medicina; y los curaré, y les revelaré abundancia
de paz y de verdad". Jeremías 33:6.

"Sostiene Jehová a todos los que caen, y levanta
a todos los oprimidos". Salmo 145:14.

"Mas a todos los que le recibieron,
dioles potestad de ser hechos hijos de Dios, a los que
creen en su nombre". S. Juan 1:12.

Y me buscaréis
y me hallaréis,
porque me buscaréis
de todo vuestro corazón.
Jeremías 29:13.

Una Entrega Completa

La promesa de Dios es: "Me buscaréis y me hallaréis, porque me buscaréis de todo vuestro corazón" (Jeremías 29:13).

Debemos dar a Dios todo el corazón, o no se realizará el cambio que se ha de efectuar en nosotros, por el cual hemos de ser transformados conforme a la semejanza divina. Por naturaleza estamos enemistados con Dios. El Espíritu Santo describe nuestra condición en palabras como éstas: "Muertos en las transgresiones y los pecados" (Efesios 2:1). "La cabeza toda está ya enferma, el corazón todo desfallecido… no queda ya en él cosa sana" (Isaías 1:5, 6). Nos sujetan firmemente los lazos de Satanás, "por el cual" hemos "sido apresados, para hacer su voluntad" (2 Timoteo 2:26). Dios quiere sanarnos y libertarnos. Pero como esto exige una transformación completa y la renovación de toda nuestra naturaleza, debemos entregarnos a él completamente.

La guerra contra nosotros mismos es la batalla más grande que jamás se haya reñido. El rendirse a sí mismo, entregando todo a la voluntad de Dios, requiere una lucha; mas para que el alma sea renovada en santidad, debe someterse antes a Dios.

El gobierno de Dios no se funda en una sumisión ciega ni en una reglamentación irracional, como Satanás quiere hacerlo aparecer. Al contrario, apela al entendimiento y a la conciencia. "¡Venid, pues, y arguyamos juntos!" (Isaías 1:18), es la invitación del Creador a los seres que formó. Dios no fuerza la voluntad de sus criaturas. No puede aceptar un homenaje que no le sea otorgado voluntaria e inteligentemente. Una mera sumisión forzada impediría todo desarrollo real del entendimiento y del carácter: haría del hombre un simple autómata. Tal no es el designio del Creador. El desea que el hombre, que es la obra maestra de su poder creador, alcance el más alto desarrollo posible. Nos presenta la gloriosa altura a la cual quiere elevarnos mediante su gracia. Nos invita a entregarnos a él para que pueda cumplir su voluntad en nosotros. A nosotros nos toca decidir si queremos ser libres de la esclavitud del pecado para compartir la libertad gloriosa de los hijos de Dios.

Al consagrarnos a Dios, debemos necesariamente abandonar todo aquello que nos separaría de él. Por esto dice el Salvador: "Así, pues, cada uno de vosotros que

> *Cuando Cristo mora en el corazón, el alma rebosa de tal manera de su amor y del gozo de su comunión, que se aferra a él; y contemplándole se olvida de sí misma.*

no renuncia a todo cuanto posee, no puede ser mi discípulo" (S. Lucas 14:33). Debemos renunciar a todo lo que aleje de Dios nuestro corazón. Las riquezas son el ídolo de muchos. El amor al dinero y el deseo de acumular fortunas constituyen la cadena de oro que los tiene sujetos a Satanás. Otros adoran la reputación y los honores del mundo. Una vida de comodidad egoísta, libre de responsabilidad, es el ídolo de otros. Pero estos lazos de servidumbre deben romperse. No podemos consagrar una parte de nuestro corazón al Señor, y la otra al mundo. No somos hijos de Dios a menos que lo seamos enteramente.

Hay quienes profesan servir a Dios a la vez que confían en sus propios esfuerzos para obedecer su ley, desarrollar un carácter recto y asegurarse la salvación. Sus corazones no son movidos por algún sentimiento profundo del amor de Cristo, sino que procuran cumplir los deberes de la vida cristiana como algo que Dios les exige para ganar el cielo. Una religión tal no tiene valor alguno. Cuando Cristo mora en el corazón, el alma rebosa de tal manera de su amor y del gozo de su comunión, que se aferra a él; y contemplándole se olvida de sí misma. El amor a Cristo es el móvil de sus acciones. Los que sienten el amor constreñidor de Dios no preguntan cuánto es lo menos que pueden darle para satisfacer lo que él requiere; no preguntan cuál es la norma más baja que acepta, sino que aspiran a una vida de completa conformidad con la voluntad de su Redentor. Con ardiente deseo lo entregan todo y manifiestan un interés proporcional al valor del objeto que procuran. El profesar que se pertenece a Cristo sin sentir ese amor profundo, es mera charla, árido formalismo, gravosa y vil tarea.

¿Creéis que es un sacrificio demasiado grande darlo todo a Cristo? Preguntaos: "¿Qué dio Cristo por mí?" El Hijo de Dios lo dio todo para redimirnos: vida, amor y sufrimientos. ¿Es posible que nosotros, seres indignos de tan grande amor, rehusemos entregarle nuestro corazón? Cada momento de nuestra vida hemos compartido las bendiciones de su gracia, y por esta misma razón no podemos comprender plenamente las profundidades de la ignorancia y la miseria de que hemos sido salvados. ¿Es posible que veamos a Aquel a quien traspasaron nuestros pecados y continuemos, sin embargo, menospreciando todo su amor y sacrificio? Viendo la humillación infinita del Señor de gloria, ¿murmuraremos porque no podemos entrar en la vida sino a costa de conflictos y humillación propia?

Muchos corazones orgullosos preguntan: "¿Por qué necesitamos arrepentirnos y humillarnos antes de poder tener la seguridad de que somos aceptados por Dios?" Mirad a Cristo. En él no había pecado alguno, y lo que es más, era el Príncipe del cielo; y sin embargo, por causa del hombre se hizo pecado. "Con los transgresores fue contado: y él mismo llevó el pecado de muchos, y por los transgresores intercedió" (Isaías 53:12).

¿Y qué abandonamos cuando lo damos todo? Un corazón manchado de pecado, para que el Señor Jesús lo purifique y lo limpie con su propia sangre, para que lo salve con su incomparable amor. ¡Y sin embargo, los hombres hallan difícil renunciar a todo! Me avergüenzo de oírlo decir y de escribirlo.

Dios no nos pide que renunciemos a cosa alguna cuya retención contribuiría a nuestro mayor provecho. En todo lo que hace, tiene presente el bienestar de sus hijos. ¡Ojalá que todos aquellos que no han decidido seguir a Cristo pudieran comprender que él tiene algo muchísimo mejor que ofrecerles que cuanto están buscando por sí mismos! El hombre inflige el mayor perjuicio e injusticia a su propia alma cuando piensa y obra de un modo contrario a la voluntad de Dios. Ningún gozo real puede haber en la senda prohibida por Aquel que conoce lo que es mejor y proyecta el bien de sus criaturas. La senda de la transgresión es el camino de la miseria y la destrucción.

Es un error dar cabida al pensamiento de que Dios se complace en ver sufrir a sus hijos. Todo el cielo está interesado en la felicidad del hombre. Nuestro Padre celestial no cierra las avenidas del gozo a ninguna de sus criaturas. Los requerimientos de Dios nos invitan a rehuir todos los placeres que traen consigo sufrimiento y contratiempos, que nos cierran la puerta de la felicidad y del cielo. El Redentor del mundo acepta a los hombres tal como son, con todas sus necesidades, imperfecciones y debilidades; y no solamente los limpiará de pecado y les concederá redención por su

En todo lo que hace, tiene presente el bienestar de sus hijos. ¡Ojalá que todos aquellos que no han decidido seguir a Cristo pudieran comprender que él tiene algo muchísimo mejor que ofrecerles que cuanto están buscando por sí mismos!

sangre, sino que satisfará el anhelo de todos los que consientan en llevar su yugo y su carga. Es su designio dar paz y descanso a todos los que acudan a él en busca del pan de vida. Sólo nos pide que cumplamos los deberes que guíen nuestros pasos a las alturas de una felicidad que los desobedientes no pueden alcanzar. La vida verdadera y gozosa del alma consiste en que se forme en ella Cristo, esperanza de gloria.

Muchos dicen: "¿Cómo me entregaré a Dios?" Deseáis hacer su voluntad, mas sois moralmente débiles, esclavos de la duda y dominados por los hábitos de vuestra vida de pecado. Vuestras promesas y resoluciones son tan frágiles como telarañas. No podéis gobernar vuestros pensamientos, impulsos y afectos. El conocimiento de vuestras promesas no cumplidas y de vuestros votos quebrantados debilita la confianza que tuvisteis en vuestra propia sinceridad, y os induce a sentir que Dios no puede aceptaros; mas no necesitáis desesperar. Lo que debéis entender es la verdadera fuerza de la voluntad. Esta es el poder gobernante en la naturaleza del hombre, la facultad de decidir o escoger. Todo depende de la correcta acción de la voluntad. Dios dio a los hombres el poder de elegir; a ellos les toca ejercerlo. No podéis cambiar vuestro corazón, ni dar por vosotros mismos sus afectos a Dios; pero podéis *escoger* servirle. Podéis darle vuestra voluntad, para que él obre en vosotros tanto el querer como el hacer, según su voluntad. De ese modo vuestra naturaleza entera estará bajo el dominio del Espíritu de Cristo, vuestros afectos se concentrarán en él y vuestros pensamientos se pondrán en armonía con él.

Desear ser bondadosos y santos es rectísimo; pero si no pasáis de esto, de nada os valdrá. Muchos se perderán esperando y deseando ser cristianos. No llegan al punto de dar su voluntad a Dios. *No deciden* ser cristianos ahora.

Por medio del debido ejercicio de la voluntad, puede obrarse un cambio completo en vuestra vida. Al dar vuestra voluntad a Cristo, os unís con el poder que está sobre todo principado y potestad. Tendréis fuerza de lo alto para sosteneros firmes, y rindiéndoos así constantemente a Dios seréis fortalecidos para vivir una vida nueva, es a saber, la vida de la fe.

PRECIOSAS

Promesas

"Yo soy el buen pastor; el buen pastor
su vida da por las ovejas". S. Juan 10:11.

"Yo soy la puerta; el que por mí entrare, será salvo; y
entrará, y saldrá, y hallará pastos". S. Juan 10:9.

"Y hablóles Jesús otra vez, diciendo: Yo soy la luz
del mundo. El que me sigue, no andará en tinieblas, mas
tendrá la lumbre de la vida". S. Juan 8:12.

"Y Jesús les dijo: Yo soy el pan de vida. El que a
mí viene, nunca tendrá hambre; y el que en mí cree, no
tendrá sed jamás". S. Juan 6:35.

"Jesús le dice: Yo soy el camino, y la verdad, y la vida.
Nadie viene al Padre, sino por mí". S. Juan 14:6.

"El ladrón no viene sino para hurtar, y matar,
y destruir. Yo he venido para que tengan vida, y para que
la tengan en abundancia". S. Juan 10:10.

"Dícele Jesús: Yo soy la resurrección y la vida. El que cree
en mí, aunque esté muerto, vivirá". S. Juan 11:25.

"Yo soy la vid, vosotros los pámpanos. El que está
en mí, y yo en él, éste lleva mucho fruto; porque sin mí
nada podéis hacer". S. Juan 15:5.

"Y el que vivo, y he sido muerto; y he aquí que vivo por
siglos de siglos, Amén". Apocalipsis 1:18.

"Enseñándoles que guarden todas las cosas
que os he mandado; y he aquí, yo estoy con vosotros todos
los días, hasta el fin del mundo. Amén". S. Mateo 28:20.

La paz os dejo, mi paz os doy; yo no os la doy como el mundo la da. No se turbe vuestro corazón, ni tenga miedo. **S. Juan 14:27.**

Descubriendo la Paz Mental

A medida que vuestra conciencia ha sido vivificada por el Espíritu Santo, habéis visto algo de la perversidad del pecado, de su poder, su culpa, su miseria; y lo miráis con aborrecimiento. Sentís que el pecado os separó de Dios y que estáis bajo la servidumbre del poder del mal. Cuanto más lucháis por escaparos, tanto mejor comprendéis vuestra falta de fuerza. Vuestros motivos son impuros; vuestro corazón, corrompido. Veis que vuestra vida ha estado colmada de egoísmo y pecado. Ansiáis ser perdonados y limpiados y libertados. ¿Qué podéis hacer para obtener la armonía con Dios y asemejaros a él?

Lo que necesitáis es paz, tener en el alma el perdón, la paz y el amor del cielo. No se los puede comprar con dinero; la inteligencia y la sabiduría no pueden alcanzarlos ni podéis esperar conseguirlos por vuestro propio esfuerzo. Pero Dios os los ofrece como un don, "sin dinero y sin precio" (Isaías 55:1). Son vuestros, con tal que extendáis la mano para tomarlos. El Señor dice: "¡Aunque vuestros pecados fuesen como la grana, como la nieve serán emblanquecidos; aunque fuesen rojos como el carmesí, como lana quedarán!" (Isaías 1:18). "También os daré un nuevo corazón, y pondré un espíritu nuevo en medio de vosotros" (Ezequiel 36:26).

Habéis confesado vuestros pecados y en vuestro corazón los habéis desechado. Habéis resuelto entregaros a Dios. Id pues a él, y pedidle que os limpie de vuestros pecados, y os dé un corazón nuevo. Creed que lo hará *porque lo ha prometido*. Esta es la lección que el Señor Jesús enseñó mientras estuvo en la tierra. Debemos creer que recibimos el don que Dios nos promete, y lo poseemos. El Señor Jesús sanaba a los enfermos cuando tenían fe en su poder; les ayudaba con las cosas que podían ver; así les inspiraba confianza en él tocante a las cosas que no podían ver y los inducía a creer en su poder de perdonar los pecados. Esto se ve claramente en el caso del paralítico: *"Mas para que sepáis que el Hijo del hombre tiene potestad en la tierra de perdonar pecados* (dijo entonces al paralítico): ¡Levántate, toma tu cama y vete a tu casa!" (S. Mateo 9:6). Así también Juan el evangelista, al hablar de los milagros de Cristo, dice: "Estas [señales] empero han sido escritas, para que creáis que Jesús es el Cristo, el Hijo de Dios; y para que, creyendo, tengáis vida en su nombre" (S. Juan 20:31).

No aguardes hasta sentir que estás sano, mas di: "Lo creo; así es, no porque lo sienta, sino porque Dios lo ha prometido".

Del simple relato de la Escritura acerca de cómo Jesús sanaba a los enfermos podemos aprender algo con respecto al modo de ir a Cristo para que nos perdone nuestros pecados. Veamos ahora el caso del paralítico de Betesda. Este pobre enfermo estaba imposibilitado; no había usado sus miembros por treinta y ocho años. Con todo, el Señor le dijo: "¡Levántate, alza tu camilla, y anda!" El paralítico podría haber dicho: "Señor, si me sanares primero, obedeceré tu palabra". Pero no; aceptó la palabra de Cristo, creyó que estaba sano e hizo el esfuerzo en seguida; *quiso* andar y anduvo. Confió en la palabra de Cristo, y Dios le dio el poder. Así fue sanado.

Tú también eres pecador. No puedes expiar tus pecados pasados, no puedes cambiar tu corazón y hacerte santo. Mas Dios promete hacer todo esto por ti mediante Cristo. *Crees* en esa promesa. Confiesas tus pecados y te entregas a Dios. *Quieres* servirle. Tan ciertamente como haces esto, Dios cumplirá su palabra contigo. Si crees la promesa, si crees que estás perdonado y limpiado, Dios suple el hecho; estás sano, tal como Cristo dio potencia al paralítico para andar cuando el hombre creyó que había sido sanado. Así *es* si lo crees.

No aguardes hasta *sentir* que estás sano, mas di: "Lo creo; así es, no porque lo sienta, sino porque Dios lo ha prometido".

Dice el Señor Jesús: "Todo cuanto pidiereis en la oración, creed que lo recibisteis ya; y lo tendréis" (S. Marcos 11:24). Una condición acompaña esta promesa: que pidamos conforme a la voluntad de Dios. Pero es la voluntad de Dios limpiarnos del pecado, hacernos hijos suyos y habilitarnos para vivir una vida santa. De modo que podemos pedir a Dios estas bendiciones, creer que las recibimos y agradecerle por *haberlas recibido*. Es nuestro privilegio ir a Jesús para que nos limpie, y subsistir delante de la ley sin confusión ni remordimiento. "Así que ahora, ninguna condenación hay para los que están en Cristo Jesús, los que no andan conforme a la carne, sino conforme al Espíritu" (Romanos 8:1, V.N.Y).

De modo que ya no te perteneces, porque fuiste comprado por precio. "Sabiendo que fuisteis redimidos,... no con cosas corruptibles, como plata y oro, sino con preciosa sangre, la de Cristo, como de un cordero sin defecto e inmaculado" (1 S. Pedro 1:18, 19). Mediante este sencillo acto de creer en Dios, el Espíritu Santo engendró nueva vida en tu corazón. Eres como un niño nacido en la familia de Dios, y él te ama como a su Hijo.

Ahora bien, ya que te has consagrado al Señor Jesús, no vuelvas atrás, no te separes de él, mas repite todos los días: "Soy de Cristo; le pertenezco"; pídele que te dé su Espíritu y que te guarde por su gracia. Así como consagrándote a Dios y creyendo en él llegaste a ser su hijo, así también debes vivir en él. Dice el apóstol: "De la manera, pues, que recibisteis a Cristo Jesús el Señor, así andad en él" (Colosenses 2:6).

Algunos parecen creer que deben estar a prueba y que deben demostrar al Señor que se han reformado, antes de poder contar con su bendición. Sin embargo, ahora mismo pueden pedirla a Dios. Deben tener su gracia, el Espíritu de Cristo, para que les ayude en sus flaquezas; de otra manera no podrían resistir al mal. El Señor Jesús se complace en que vayamos a él como somos: pecaminosos, sin fuerza, necesitados. Podemos ir con toda nuestra debilidad, insensatez y maldad, y caer arrepentidos a sus pies. Es su gloria estrecharnos en los brazos de su amor, vendar nuestras heridas y limpiarnos de toda impureza.

Miles se equivocan en esto: no creen que el Señor Jesús los perdone personal e individualmente. No creen al pie de la letra lo que Dios dice. Es privilegio de todos los que llenan las condiciones saber por sí mismos que el perdón de todo pecado es gratuito. Alejad la sospecha de que las promesas de Dios no son para vosotros. Son para todo pecador arrepentido. Cristo ha provisto fuerza y gracia para que los ángeles ministradores las comuniquen a toda alma creyente. Nadie es tan pecador que no pueda hallar fuerza, pureza y justicia en Jesús, quien murió por todos. El está aguardando para quitarles sus vestiduras manchadas y contaminadas de pecado y ponerles los mantos blancos de la justicia; les ordena vivir, y no morir.

Dios no nos trata como los hombres se tratan entre sí. Los pensamientos de él son pensamientos de misericordia, de amor y de la más tierna compasión. El dice: "¡Deje el malo su camino, y el hombre inicuo sus pensamientos, y vuélvase a Jehová, el cual tendrá compasión de él, y a nuestro Dios, porque es grande en perdonar!" "He borrado, como nublado, tus transgresiones, y como una nube, tus pecados" (Isaías 55:7; 44:22).

Algunos parecen creer que deben estar a prueba y que deben demostrar al Señor que se han reformado, antes de poder contar con su bendición.

"No me complazco en la muerte del que muere, dice Jehová el Señor: ¡volveos pues, y vivid!" (Ezequiel 18:32). Satanás está pronto para quitarnos la bendita seguridad que Dios nos da. Desea privar al alma de toda vislumbre de esperanza y de todo rayo de luz; pero no debemos permitírselo. No prestemos oído al tentador, antes digámosle: "Jesús murió para que yo viva. Me ama y no quiere que perezca. Tengo un Padre celestial muy compasivo; y aunque he abusado de su amor, aunque he disipado las bendiciones que me había dado, me levantaré, iré a mi Padre y le diré: ¡Padre, he pecado contra el cielo y delante de ti; ya no soy digno de ser llamado hijo tuyo: haz que yo sea como uno de tus jornaleros!" En la parábola vemos cómo será recibido el ex-

Alzad la vista los que vaciláis y tembláis; porque el Señor Jesús vive para interceder por nosotros. Su Espíritu os invita hoy. Id con todo vuestro corazón a Jesús y demandad sus bendiciones.

traviado: *"Y estando todavía lejos*, le vio su padre; y conmoviéronsele las entrañas; y corrió, y le echó los brazos al cuello, y le besó" (S. Lucas 15:18-20).

Mas ni aun esta parábola tan conmovedora alcanza a expresar la compasión de nuestro Padre celestial. El Señor declara por su profeta: "Con amor eterno te he amado, *por tanto te he extendido mi misericordia*" (Jeremías 31:3). Mientras el pecador está todavía lejos de la casa de su Padre desperdiciando su hacienda en un país extranjero, el corazón del Padre se

compadece de él; y todo anhelo de volver a Dios que se despierte en su alma no es sino una tierna súplica del Espíritu, que insta, ruega y atrae al extraviado al seno amorosísimo de su Padre.

Teniendo tan preciosas promesas bíblicas delante de vosotros, ¿podéis dar lugar a la duda? ¿Podéis creer que cuando el pobre pecador desea volver y abandonar sus pecados, el Señor le impide con severidad que venga arrepentido a sus pies? ¡Desechad tales pensamientos! Nada puede perjudicar más a vuestra propia alma que tener tal concepto de vuestro Padre celestial. El aborrece el pecado, pero ama al pecador, pues se dio en la persona de Cristo para que todos los que quieran puedan ser salvos y gozar de eterna bienaventuranza en el reino de gloria. ¿Qué lenguaje más tierno o más poderoso podría haberse empleado para expresar su amor hacia nosotros? Declara: "¿Se olvidará acaso la mujer de su niño mamante, de modo que no tenga compasión del hijo de sus entrañas? ¡Aun las tales le pueden olvidar; mas no me olvidaré yo de ti!" (Isaías 49:15).

Alzad la vista los que vaciláis y tembláis; porque el Señor Jesús vive para interceder por nosotros. Agradeced a Dios por el don de su Hijo amado, y pedid que no haya muerto en vano por vosotros. Su Espíritu os invita hoy. Id con todo vuestro corazón a Jesús y demandad sus bendiciones.

Cuando leáis las promesas, recordad que son la expresión de un amor y una piedad inefables. El gran Corazón de amor infinito se siente atraído hacia el pecador por una compasión ilimitada. "En quien tenemos redención por medio de su sangre, la remisión de nuestros pecados" (Efesios 1:7). Sí, creed tan sólo que Dios es vuestro ayudador. El quiere restaurar su imagen moral en el hombre. Acercaos a él expresándole vuestra confesión y arrepentimiento, y él se acercará a vosotros con misericordia y perdón.

Fuente de la vida eterna

T. M. WESTRUP

A. NETTLETON

1. Fuen-te de la vi-da e-ter-na y de to-da ben-di - ción,
2. De los cán - ti-cos ce - les-tes te qui-sié - ra-mos can - tar,
3. To - ma nues-tros co - ra - zo - nes, llé-na-los de tu ver - dad,

en - sal - zar tu gra - cia tier - na de - be to-do co - ra - zón.
en - to - na-dos por las hues-tes que vi - nis-te a res-ca - tar.
de tu Es - pí - ri - tu los do - nes, y de to-da san-ti - dad.

Tu pie - dad i - na-go - ta - ble se de - lei-ta en per-do - nar;
De los cie - los des-cen-dis - te por-que nos tu-vis-te a - mor;
Guí-a - nos en la o-be-dien - cia, hu-mil - dad, a-mor y fe;

só - lo tú e-res a - do - ra - ble; glo-ria a ti de-be-mos dar.
tier - no te com-pa-de-cis - te y nos dis-te tu fa - vor.
nos am - pa-re tu cle-men - cia; Sal-va - dor, pro-pi-cio sé.

EL HIJO PRODIGO REGRESA

oberto Robinson, un pobre huérfano, iba de un lugar a otro sin encontrar un hogar hasta que una noche el Espíritu Santo lo llevó a una reunión bajo una carpa. El predicador, el gran evangelista George Whitefield, estaba hablando sobre el tema del amor de Jesús hacia los pecadores.

El corazón de Roberto se conmovió. Se bautizó, se matriculó en un seminario y se graduó como ministro metodista. En 1758, a los 23 años de edad, escribió las palabras para el himno "Come, Thou Fount of Every Blessing" (traducido al español como "Fuente de la vida eterna"). El poema fue publicado.

Pasaron los años y Roberto se apartó de su llamado al ministerio y de su Salvador. Un día se encontró viajando en una diligencia con una dama cristiana quien insistía en hablarle sobre Dios. Sintiéndose deprimido intentó evitar la conversación, pero ella persistió.

—Usted debiera escuchar las palabras de este maravilloso poema que he encontrado. —Entonces le leyó la poesía sin advertir que él mismo la había escrito años atrás.

Cuando concluyó su lectura, Roberto intentó cambiar el tema de la conversación, pero la dama continuó alabando el poema y su hermoso mensaje.

Finalmente molesto, Roberto confesó: "Señora, yo conozco muy bien las palabras de ese poema. Yo soy el hombre pobre e infeliz quien compuso ese himno hace muchos años, y yo daría mil mundos si pudiera sentir lo que sentía en mi corazón en ese entonces".

Asombrada por la confesión de Roberto, la mujer no se atrevió a hablar más durante el resto del viaje. Para cuando llegaron a su destino, el Espíritu Santo había regresado al corazón de Roberto. Roberto Robinson sirvió al Señor desde ese día hasta su muerte en 1790.

¿Se ha sentido alguna vez en desentono con Jesús? Tendrá problemas una y otra vez hasta que finalmente descubra que, no importa lo que usted haga o cuán desanimado se sienta, Dios está cerca, esperando ansiosamente que usted regrese a él una vez más.

*D*e modo que si alguno está en Cristo, nueva criatura es; las cosas viejas pasaron; he aquí todas son hechas nuevas. 2 Corintios 5:17.

Llegando a Ser una Nueva Persona

"Si alguno está en Cristo, nueva criatura es; las cosas viejas pasaron; he aquí todas son hechas nuevas" (2 Corintios 5:17).

Es posible que una persona no sepa indicar el momento y lugar exactos de su conversión, o que no pueda tal vez señalar el encadenamiento de circunstancias que la llevaron a ese momento; pero esto no prueba que no se haya convertido. Cristo dijo a Nicodemo: "El viento de donde quiere sopla; y oyes su sonido, mas no sabes de dónde viene, ni a dónde va: así es todo aquel que es nacido del Espíritu" (S. Juan 3:8). Como el viento es invisible y, sin embargo, se ven y se sienten claramente sus efectos, así también obra el Espíritu de Dios en el corazón humano. El poder regenerador, que ningún ojo humano puede ver, engendra una vida nueva en el alma; crea un nuevo ser conforme a la imagen de Dios.

Aunque la obra del Espíritu es silenciosa e imperceptible, sus efectos son manifiestos. Cuando el corazón ha sido renovado por el Espíritu de Dios, el hecho se revela en la vida. Si bien no podemos hacer cosa alguna para cambiar nuestro corazón, ni para ponernos en armonía con Dios; si bien no debemos confiar para nada en nosotros mismos ni en nuestras buenas obras, nuestra vida demostrará si la gracia de Dios mora en nosotros. Se notará un cambio en el carácter, en las costumbres y ocupaciones. El contraste entre lo que eran antes y lo que son ahora será muy claro e inequívoco. El carácter se da a conocer, no por las obras buenas o malas que de vez en cuando se ejecuten, sino por la tendencia de las palabras y de los actos habituales en la vida diaria.

Es cierto que puede haber una conducta externa correcta sin el poder renovador de Cristo. El amor a la influencia y el deseo de ser estimado por los demás pueden producir una vida bien ordenada. El respeto propio puede impulsarnos a evitar las apariencias de mal. Un corazón egoísta puede realizar actos de generosidad. ¿De qué medio nos valdremos, entonces, para saber de parte de quién estamos?

¿Quién posee nuestro corazón? ¿Con quién están nuestros pensamientos? ¿De quién nos gusta hablar? ¿Para quién son nuestros más ardientes afectos y nuestras mejores energías? Si somos de Cristo, nuestros pensamientos están con él y le dedicamos nuestras más gratas reflexiones. Le hemos consagrado todo lo que tenemos y somos. Anhelamos ser semejantes a él, tener su Espíritu, hacer su voluntad y agradarle en todo.

Los que llegan a ser nuevas criaturas en Cristo Jesús producen los frutos de su Espíritu: "amor, gozo, paz, longanimidad,

¿Para quién son nuestros más ardientes afectos y nuestras mejores energías? Si somos de Cristo, nuestros pensamientos están con él y le dedicamos nuestras más gratas reflexiones.

benignidad, bondad, fidelidad, mansedumbre, templanza" (Gálatas 5:22, 23). Ya no se conforman con las concupiscencias anteriores, sino que por la fe siguen las pisadas del Hijo de Dios, reflejan su carácter y se purifican a sí mismos como él es puro. Aman ahora las cosas que en un tiempo aborrecían, y aborrecen las cosas que en otro tiempo amaban. El que era orgulloso y dominador es ahora manso y humilde de corazón. El que antes era vano y altanero, es ahora serio y discreto. El que antes era borracho, es ahora sobrio y el que era libertino, puro. Han dejado las costumbres y modas vanas del mundo. Los cristianos no buscan "el adorno exterior", sino que "sea adornado el hombre interior del corazón, con la ropa imperecedera de un espíritu manso y sosegado" (1 S. Pedro 3:3, 4).

No hay evidencia de arrepentimiento verdadero cuando no se produce una reforma en la vida. Si restituye la prenda, devuelve lo que haya robado, confiesa sus pecados y ama a Dios y a su prójimo, el pecador puede estar seguro de que pasó de muerte a vida.

Cuando vamos a Cristo como seres errados y pecaminosos, y nos hacemos participantes de su gracia perdonadora, el amor brota en nuestro corazón. Toda carga resulta ligera, porque el yugo de Cristo es suave. Nuestros deberes se vuelven delicias y los sacrificios un placer. El sendero que antes nos parecía cubierto de tinieblas brilla ahora con los rayos del Sol de justicia.

La hermosura del carácter de Cristo ha de verse en los que le siguen. El se deleitaba en hacer la voluntad de Dios. El poder que predominaba en la vida de nuestro Salvador era el amor a Dios y el celo por su gloria. El amor embellecía y ennoblecía todas sus acciones. El amor es de Dios; el corazón inconverso no puede producirlo u originarlo. Se encuentra solamente en el corazón donde Cristo reina. "Nosotros amamos, por cuanto él nos amó primero" (1 S. Juan 4:19). En el corazón regenerado por la gracia divina, el amor es el móvil de las acciones. Modifica el carácter, gobierna los impulsos, restringe las pasiones, subyuga la enemistad y ennoblece los afectos. Este amor atesorado en el alma endulza la vida y derrama una influencia purificadora sobre todos los que están en derredor.

Hay dos errores contra los cuales los hijos de Dios, particularmente los que apenas han comenzado a confiar en su gracia, deben guardarse en forma especial. El primero, en el cual ya se ha insistido, es el de fijarnos en nuestras propias obras, confiando en algo que podamos hacer para ponernos en armonía con Dios. El que está procurando llegar a ser santo mediante sus esfuerzos por observar la ley, está procurando una imposibilidad. Todo lo que el hombre puede hacer sin Cristo está contaminado de egoísmo y pecado. Sólo la gracia de Cristo, por medio de la fe, puede hacernos santos.

El error opuesto y no menos peligroso consiste en sostener que la fe en Cristo exime a los hombres de guardar la ley de Dios, y que en vista de que sólo por la fe llegamos a ser participantes de la gracia de Cristo, nuestras obras no tienen nada que ver con nuestra redención.

Nótese, sin embargo, que la obediencia no es un mero cumplimiento externo, sino un servicio de amor. La ley de Dios es una expresión de la misma naturaleza de su Autor; es la personificación del gran principio del amor, y es, por lo tanto, el fundamento de su gobierno en los cielos y en la tierra. Si nuestros corazones están renovados a la semejanza de Dios, si el amor divino está implantado en el alma, ¿no se cumplirá la ley de Dios en nuestra vida? Cuando el principio del amor es implanta-do en el corazón, cuando el hombre es renovado a la imagen del que lo creó, se cumple en él la promesa del nuevo pacto: "Pondré mis leyes en su corazón, y también en su mente las escribiré" (Hebreos 10:16). Y si la ley está escrita en el corazón, ¿no modelará la vida? La obediencia, es decir el

Cristo nos preparó una vía de escape. Vivió en esta tierra en medio de pruebas y tentaciones como las que nosotros tenemos que arrostrar. Sin embargo, su vida fue impecable.

servicio y la lealtad que se rinden por amor, es la verdadera prueba del discipulado. Por esto dice la Escritura: "Este es el amor de Dios, que guardemos sus mandamientos". "El que dice: Yo le conozco, y no guarda sus mandamientos, es mentiroso, y no hay verdad en él" (1 S. Juan 5:3; 2:4). En vez de eximir al hombre de la obediencia, la fe, y sólo ella, nos hace participantes de la gracia de Cristo, y nos capacita para obedecer.

No ganamos la salvación con nuestra obediencia, porque la salvación es el don gratuito de Dios, que se recibe por la fe. Pero la obediencia es el fruto de la fe. "Sabéis que él fue manifestado para quitar los pecados, y en él no hay pecado. Todo aquel que mora en él no peca; todo aquel que peca no le ha visto, ni le ha conocido" (1 S. Juan 3:5, 6). He aquí la verdadera prueba. Si moramos en Cristo, si el amor de

Dios está en nosotros, nuestros sentimientos, nuestros pensamientos, nuestros designios, nuestras acciones, estarán en armonía con la voluntad de Dios, según se expresa en los preceptos de su santa ley. "¡Hijitos míos, no dejéis que nadie os engañe!; el que obra justicia es justo, así como él es justo" (1 S. Juan 3:7). La justicia se define por la norma de la santa ley de Dios, expresada en los Diez Mandamientos dados en el Sinaí.

La así llamada fe en Cristo que, según se sostiene, exime a los hombres de la obligación de obedecer a Dios, no es fe, sino presunción. "Por gracia sois salvos, por medio de la fe". Mas "la fe, si no tuviere obras, es de suyo muerta" (Efesios 2:8; Santiago 2:17). El Señor Jesús dijo de sí mismo antes de venir al mundo: "Me complazco en hacer tu voluntad, oh Dios, y tu ley está en medio de mi corazón" (Salmo 40:8). Y cuando estaba por ascender de nuevo al cielo, dijo: "Yo he guardado los mandamientos de mi Padre, y permanezco en su amor" (S. Juan 15:10). La Escritura afirma: "Y en esto sabemos que le conocemos a él: si guardamos sus mandamientos… El que dice que mora en él, debe también él mismo andar así como él anduvo" (1 S. Juan 2:3, 6). "Pues que Cristo también sufrió por vosotros, dejándoos ejemplo, para que sigáis en sus pisadas" (1 S. Pedro 2:21).

La condición para alcanzar la vida eterna es ahora exactamente la misma de siempre, tal cual era en el paraíso antes de la caída de nuestros primeros padres: la perfecta obediencia a la ley de Dios, la perfecta justicia. Si la vida eterna se concediera con alguna condición inferior a ésta, peligraría la felicidad de todo el universo. Se le abriría la puerta al pecado con toda su secuela de dolor y miseria para siempre.

Antes que Adán cayese le era posible desarrollar un carácter justo por la obediencia a la ley de Dios. Mas no lo hizo, y por causa de su caída tenemos una naturaleza pecaminosa y no podemos hacernos justos a nosotros mismos. Puesto que somos pecadores y malos, no podemos obedecer perfectamente una ley santa. No tenemos justicia propia con que cumplir lo que la ley de Dios exige. Pero Cristo nos preparó una vía de escape. Vivió en esta tierra en medio de pruebas y tentaciones como las que nosotros tenemos que arrostrar. Sin embargo, su vida fue impecable. Murió por nosotros, y ahora ofrece quitar nuestros pecados y vestirnos de su justicia. Si os entregáis a él y le aceptáis como vuestro Salvador, por pecaminosa que haya sido vuestra vida, seréis contados entre los justos, por consideración hacia él. El carácter de Cristo reemplaza el vuestro, y sois aceptados por Dios como si no hubierais pecado.

Más aún, Cristo cambia el corazón, y habita en el vuestro por la fe. Debéis mantener esta comunión con Cristo por la fe y la sumisión continua de vuestra voluntad a él. Mientras lo hagáis, él obrará en vosotros para que queráis y hagáis conforme a su beneplácito. Así podréis decir: "Aquella vida que ahora vivo en la carne, la vivo por la fe en el Hijo de Dios, el cual me amó, y se dio a sí mismo por mí" (Gálatas 2:20). Así dijo el Señor Jesús a sus discípulos: "No sois vosotros quienes habláis, sino el Espíritu de vuestro Padre que habla en vosotros" (S. Mateo 10:20). De modo que si Cristo obra en vosotros, manifestaréis el mismo espíritu y haréis las mismas obras que él: obras de justicia y obediencia.

Así que no hay en nosotros mismos cosa alguna de que jactarnos. No tenemos motivo para ensalzarnos. El único fundamento de nuestra esperanza es la justicia de Cristo que nos es imputada y la que produce su Espíritu obrando en nosotros y por nosotros.

Cuando hablamos de la fe debemos tener siempre presente una distinción. Hay una clase de creencia enteramente distinta de la fe. La existencia y el poder de Dios, la verdad de su Palabra, son hechos que aun Satanás y sus huestes no pueden negar en lo íntimo de su corazón. La Escritura dice que "los demonios lo creen, y tiemblan" (Santiago 2:19), pero esto no es fe. Donde no sólo existe una creencia en la Palabra de Dios, sino que la voluntad se somete a él; donde se le entrega el corazón y los afectos se aferran a él, allí hay fe, una fe que obra por el amor y purifica el alma. Mediante esa fe el corazón se renueva conforme a la imagen de Dios. Y el corazón que en su estado inconverso no se sujetaba a la ley de Dios ni tampoco podía, se deleita después en sus santos preceptos y exclama con el salmista: "¡Oh cuánto amo tu ley! Todo el día es ella mi meditación" (Salmo 119:97). Entonces la justicia de la ley se cumple en nosotros, los que no andamos "conforme a la carne, mas conforme al espíritu" (Romanos 8:1, V. Valera).

Hay personas que han conocido el amor perdonador de Cristo y desean realmente ser hijos de Dios; pero reconocen que su carácter es imperfecto y su vida defectuosa; y propenden a dudar de si sus corazones han sido regenerados por el Espíritu Santo. A los tales quiero decirles que no cedan a la desesperación. A menudo tenemos que postrarnos y llorar a los pies de Jesús por causa de nuestras culpas y equivocaciones; pero no debemos desanimarnos. Aun si somos vencidos por el enemigo, no somos desechados ni abandonados por Dios. No; Cristo está a la diestra de Dios, e intercede por nosotros. Dice el discípulo amado: "Estas cosas os escribo, para que no pequéis. Y si alguno pecare,

A menudo tenemos que postrarnos y llorar a los pies de Jesús por causa de nuestras culpas y equivocaciones; pero no debemos desanimarnos.

abogado tenemos para con el Padre, a saber, a Jesucristo el Justo" (1 S. Juan 2:1). Y no olvidéis las palabras de Cristo: "Porque el Padre mismo os ama" (S. Juan 16:27). El desea reconciliaros con él, quiere ver su pureza y santidad reflejadas en vosotros. Y si tan sólo estáis dispuestos a entregaros a él, el que comenzó en vosotros la buena obra, la perfeccionará hasta el día de nuestro Señor Jesucristo. Orad con más fervor; creed más implícitamente. Cuando lleguemos a desconfiar de nuestra propia fuerza, confiaremos en el poder de nuestro Redentor y alabaremos a Aquel que es la salud de nuestro rostro.

Cuanto más cerca estéis de Jesús, más imperfectos os reconoceréis; porque veréis tanto más claramente vuestros defectos a la luz del contraste de su perfecta naturaleza. Esta es una señal cierta de que los engaños de Satanás han perdido su poder, y de que el Espíritu de Dios os está despertando.

No puede existir amor profundo hacia el Señor Jesús en el corazón que no comprende su propia perversidad. El alma transformada por la gracia de Cristo admirará el divino carácter de él; pero cuando no vemos nuestra propia deformidad moral damos prueba inequívoca de que no hemos vislumbrado la belleza y excelencia de Cristo.

Mientras menos cosas dignas de estima veamos en nosotros, más encontraremos que apreciar en la pureza y santidad infinitas de nuestro Salvador. Una percepción de nuestra pecaminosidad nos impulsa hacia Aquel que puede perdonarnos, y cuando comprendiendo nuestro desamparo nos esforcemos por seguir a Cristo, él se nos revelará con poder. Cuanto más nos impulse hacia él y hacia la Palabra de Dios el sentimiento de nuestra necesidad, tanto más elevada visión tendremos del carácter de nuestro Redentor y con tanta mayor plenitud reflejaremos su imagen.

Una Amistad de Oro

Jesse Owens sabía lo que pensaba la gente en las gradas del estadio mientras caminaba en dirección a la pista aquel día. Estaba en Berlín en 1939. Hitler, el dictador alemán se disponía a demostrar la superioridad de la raza ariana, la creencia de que aquellos que no eran rubios y de ojos azules eran inferiores, especialmente los negros y los judíos.

Con esto en mente, Jesse, todavía en su ropa de calentamiento, dio un salto de práctica para el salto largo, su mejor evento. Los jueces lo contaron como el primer salto. Sacudido, lo intentó nuevamente y falló. Estaba a un salto de ser eliminado cuando un atleta alemán de alta estatura, cabello rubio y ojos azules se acercó a él y se presentó como Lutz Long.

Sin saber lo que tenía en mente el alemán, Jesse le dio la mano. "Mucho gusto en conocerte —le dijo—. ¿Cómo estás?"

—Yo estoy bien —respondió Long—. La pregunta es ¿cómo estás tú?

—¿Qué quieres decir? —preguntó Owens.

—Algo debe estar molestándote. Tú deberías poder clasificarte con los ojos cerrados.

Y los dos hombres entablaron una conversación: el hijo de un trabajador de campo de raza negra y el modelo de la virilidad nazi. Long, quien no creía en la teoría de la superioridad ariana, aconsejó a Owens sobre cómo asegurarse la clasificación.

Esa tarde Owens comenzó con un salto que fijó una nueva marca mundial. Lutz Long lo empató. En su último salto, Owens batió el récord con un salto de 26 pies, 5.75 pulgadas, ganando así la medalla de oro. El primero en felicitar a Owens, a plena vista de Adolfo Hitler, fue Lutz Long. Los dos hombres siguieron siendo amigos hasta la muerte de Lutz en 1943. Jesse Owens más tarde comentó: "Usted podría derretir todas las medallas y trofeos que he ganado y no llegarían a enchapar la amistad de 24 quilates que teníamos Lutz Long y yo".

¿Cuál es la evidencia de una verdadera amistad? Como en el caso de Lutz Long y Jesse Owens, los verdaderos amigos se ayudan y apoyan mutuamente.

Su amigo Jesús comprende y se preocupa por sus problemas. ¿Por qué no permite que él lo ayude y lo fortalezca en el día de hoy?

*Permaneced en mí, y yo en vosotros.
Como el pámpano no puede llevar fruto por sí mismo,
si no permanece en la vid, así tampoco vosotros, si no
permanecéis en mí. S. Juan 15:4.*

Una Paz Duradera

En la Escritura se llama nacimiento al cambio de corazón por el cual somos hechos hijos de Dios. También se lo compara con la germinación de la buena semilla sembrada por el labrador. De igual modo se habla de los recién convertidos a Cristo como de "niños recién nacidos", que deben ir "creciendo" (1 S. Pedro 2:2; Efesios 4:15), hasta llegar a la estatura de hombres en Cristo Jesús. Como la buena simiente en el campo, tienen que crecer y dar fruto. Isaías dice que serán "llamados árboles de justicia, plantados por Jehová mismo, para que él sea glorificado" (Isaías 61:3). Se sacan así ilustraciones del mundo natural para ayudarnos a entender mejor las verdades misteriosas de la vida espiritual.

Toda la sabiduría e inteligencia de los hombres no puede dar vida al objeto más diminuto de la naturaleza. Solamente por la vida que Dios mismo les ha dado pueden vivir las plantas y los animales. Asimismo es sólo mediante la vida de Dios como se engendra la vida espiritual en el corazón de los hombres. Si el hombre no "naciere de nuevo" (S. Juan 3:3), no puede ser hecho participante de la vida que Cristo vino a dar.

Lo que sucede con la vida, sucede con el crecimiento. Dios es el que hace florecer el capullo y fructificar las flores. Su poder es el que hace a la simiente desarrollar "primero hierba, luego espiga, luego grano lleno en la espiga" (S. Marcos 4:28). El profeta Oseas dice que Israel "echará flores como el lirio". "Serán revivificados como el trigo, y florecerán como la vid" (Oseas 14:5, 7). Y el Señor Jesús dice: "Considerad los lirios, cómo crecen" (S. Lucas 12:27). Las plantas y las flores no crecen por su propio cuidado, solicitud o esfuerzo, sino porque reciben lo que Dios proporcionó para favorecer su vida. El niño no puede por su solicitud o poder propio añadir algo a su estatura. Ni vosotros podréis por vuestra solicitud o esfuerzo conseguir el crecimiento espiritual. La planta y el niño crecen al recibir de la atmósfera circundante aquello que sostiene su vida: el aire, el sol y el alimento. Lo que estos dones de la naturaleza son para los animales y las plantas, llega a serlo Cristo para los que en él confían. El es su "luz eterna", "escudo y sol" (Isaías 60:19; Salmo 84:11). Será "como el rocío a Israel". "Descenderá como la

Nuestro crecimiento en la gracia, nuestro gozo, nuestra utilidad, todo depende de nuestra unión con Cristo. Sólo estando en comunión con él diariamente y permaneciendo en él cada hora es como hemos de crecer en la gracia.

lluvia sobre el césped cortado" (Oseas 14:5; Salmo 72:6). El es el agua viva, "el pan de Dios... que descendió del cielo, y da vida al mundo" (S. Juan 6:33).

En el don incomparable de su Hijo, Dios rodeó al mundo entero con una atmósfera de gracia tan real como el aire que circula en derredor del globo. Todos los que decidan respirar esta atmósfera vivificante vivirán y crecerán hasta alcanzar la estatura de hombres y mujeres en Cristo Jesús.

Como la flor se vuelve hacia el sol para que los brillantes rayos le ayuden a perfeccionar su belleza y simetría, así debemos volvernos hacia el Sol de justicia, a fin de que la luz celestial brille sobre nosotros y nuestro carácter se transforme a la imagen de Cristo.

El Señor Jesús enseña la misma cosa cuando dice: "Permaneced en mí, y yo en vosotros. Como no puede el sarmiento llevar fruto de sí mismo, si no permaneciere en la vid, así tampoco vosotros, si no permaneciereis en mí... Porque separados de mí nada podéis hacer" (S. Juan 15:4, 5). Como la rama depende del tronco principal para su crecimiento y fructificación, así también vosotros necesitáis el auxilio de Cristo para poder vivir una vida santa. Fuera de él no tenéis vida. No hay poder en vosotros para resistir la tentación o para crecer en la gracia o en la santidad. Morando en él, podéis florecer. Recibiendo vuestra vida de él, no os marchitaréis ni seréis estériles. Seréis como el árbol plantado junto a arroyos de aguas.

Muchos tienen la idea de que deben hacer alguna parte de la obra solos. Confiaron en Cristo para obtener el perdón de sus pecados, pero ahora procuran vivir rectamente por sus propios esfuerzos. Mas todo esfuerzo tal fracasará. El Señor Jesús dice: "Porque separados de mí nada podéis hacer". Nuestro crecimiento en la gracia, nuestro gozo, nuestra utilidad, todo depende de nuestra unión con Cristo. Sólo estando en comunión con él diariamente y permaneciendo en él cada hora es como hemos de crecer en la gracia. El no es solamente el autor de nuestra fe sino también su consumador. Ocupa el primer lugar, el último y todo otro lugar. Estará con nosotros, no sólo al principio y al fin de nuestra carrera, sino en cada paso del camino. David dice:

"A Jehová he puesto siempre delante de mí; porque estando él a mi diestra, no resbalaré" (Salmo 16:8).

Preguntaréis tal vez: "¿Cómo permaneceremos en Cristo?" Pues, del mismo modo en que le recibisteis al principio. "De la manera, pues, que recibisteis a Cristo Jesús el Señor, así andad en él". "El justo… vivirá por la fe" (Colosenses 2:6; Hebreos 10:38). Os entregasteis a Dios para ser completamente suyos, para servirle y obedecerle, y aceptasteis a Cristo como vuestro Salvador. No podíais por vosotros mismos expiar vuestros pecados o cambiar vuestro corazón; pero habiéndoos entregado a Dios, creísteis que por causa de Cristo el Señor hizo todo aquello por vosotros. Por la *fe* llegasteis a ser de Cristo, y por la fe tenéis que crecer en él, dando y recibiendo. Tenéis que *darle* todo: el corazón, la voluntad, la vida, daros a él para obedecerle en todo lo que os pida; y debéis *recibirlo* todo: a Cristo, la plenitud de toda bendición, para que more en vuestro corazón, sea vuestra fuerza, vuestra justicia, vuestro eterno Auxiliador, y os dé poder para obedecer.

Conságrate a Dios todas las mañanas; haz de esto tu primer trabajo. Sea tu oración: "Tómame ¡oh Señor! como enteramente tuyo. Pongo todos mis planes a tus pies. Usame hoy en tu servicio. Mora conmigo, y sea toda mi obra hecha en ti". Este es un asunto diario. Cada mañana, conságrate a Dios por ese día. Somete todos tus planes a él, para ponerlos en práctica o abandonarlos, según te lo indicare su providencia. Podrás así poner cada día tu vida en las manos de Dios, y ella será cada vez más semejante a la de Cristo.

La vida en Cristo es una vida de reposo. Tal vez no haya éxtasis de los sentimientos, pero debe haber una confianza continua y apacible. Tu esperanza no se cifra en ti mismo, sino en Cristo. Tu debilidad está unida a su fuerza, tu ignorancia a su sabiduría, tu fragilidad a su eterno poder. Así que no has de mirar a ti mismo ni depender de ti, sino mirar a Cristo. Piensa en su amor, en la belleza y perfección de su carácter. Cristo en su abnegación, Cristo en su humillación, Cristo en su pureza y santidad, Cristo en su incomparable amor: tal es el tema que debe contemplar el alma. Amándole, imitándole, dependiendo enteramente de

Tu esperanza no se cifra en ti mismo, sino en Cristo. Tu debilidad está unida a su fuerza, tu ignorancia a su sabiduría, tu fragilidad a su eterno poder.

él, es como serás transformado a su semejanza.

El Señor dice: "Permaneced en mí". Estas palabras expresan una idea de descanso, estabilidad, confianza. También nos invita: "¡Venid a mí… y os daré descanso!" (S. Mateo 11:28). Las palabras del salmista hacen resaltar el mismo pensamiento: "Confía calladamente en Jehová, y espérale con paciencia". E Isaías asegura que "en quietud y en confianza será vuestra fortaleza"

(Salmo 37:7; Isaías 30:15). Este descanso no se obtiene en la inactividad; porque en la invitación del Salvador la promesa de descanso va unida con un llamamiento a trabajar: "Tomad mi yugo sobre vosotros, y… hallaréis descanso" (S. Mateo 11:29). El corazón que más plenamente descansa en Cristo es el más ardiente y activo en el trabajo para él.

Cuando pensamos mucho en nosotros mismos, nos alejamos de Cristo, la fuente de la fortaleza y la vida. Por esto Satanás se esfuerza constantemente por mantener la atención apartada del Salvador, a fin de impedir la unión y comunión del alma con Cristo. Valiéndose de los pla-

Cuando Cristo mora en el corazón, la naturaleza entera se transforma. El Espíritu de Cristo y su amor enternecen el corazón, subyugan el alma y elevan los pensamientos y deseos a Dios y al cielo.

ceres del mundo, los cuidados, perplejidades y tristezas de la vida, así como de nuestras propias faltas e imperfecciones, o de las ajenas, procura desviar nuestra atención hacia todas estas cosas, o hacia algunas de ellas. No nos dejemos engañar por sus maquinaciones. Con demasiada frecuencia logra que muchos, realmente concienzudos y deseosos de vivir para Dios, se

detengan en sus propios defectos y debilidades, y separándolos así de Cristo, espera obtener la victoria. No debemos hacer de nuestro yo el centro de nuestros pensamientos, ni alimentar ansiedad ni temor acerca de si seremos salvos o no. Todo esto desvía el alma de la Fuente de nuestra fortaleza. Encomendemos a Dios la custodia de nuestra alma, y confiemos en él. Hablemos del Señor Jesús y pensemos en él. Piérdase en él nuestra personalidad. Desterremos toda duda; disipemos nuestros temores. Digamos con el apóstol Pablo: "Vivo; mas no ya yo, sino que Cristo vive en mí: y aquella vida que ahora vivo en la carne, la vivo por la fe en el Hijo de Dios, el cual me amó, y se dio a sí mismo por mí" (Gálatas 2:20). Reposemos en Dios. El puede guardar lo que le hemos confiado. Si nos ponemos en sus manos, nos hará más que vencedores por medio de Aquel que nos amó.

Cuando Cristo se humanó, vinculó a la humanidad consigo mediante un lazo que ningún poder es capaz de romper, salvo la decisión del hombre mismo. Satanás nos presentará de continuo incentivos para inducirnos a romper ese lazo, a decidir que nos separemos de Cristo. Necesitamos velar, luchar y orar, para que nada pueda inducirnos a elegir otro maestro; pues estamos siempre libres para hacer esto. Mantengamos por lo tanto los ojos fijos en Cristo, y él nos preservará. Confiando en Jesús, estamos seguros. Nada puede arrebatarnos de su mano. Si le contemplamos constantemente, "somos transformados en la misma semejanza, de gloria en gloria, así como por el Espíritu del Señor" (2 Corintios 3:18).

Así fue como los primeros discípulos llegaron a asemejarse a su amado Salvador. Cuando aquellos discípulos oyeron las palabras de Jesús, sintieron su necesidad de él. Le buscaron, le encontraron y le siguieron. Estaban con él en la casa, a la mesa, en los lugares apartados, en el campo. Le acompañaban como era costumbre que los discípulos siguiesen a un maestro, y diariamente recibían de sus labios lecciones de santa verdad. Le miraban como los siervos a su señor, para aprender cuáles eran sus deberes. Aquellos discípulos eran hombres sujetos "a las mismas debilidades que nosotros" (Santiago 5:17). Tenían que reñir la misma batalla con el pecado. Necesitaban la misma gracia para poder vivir una vida santa.

Aun Juan, el discípulo amado, el que más plenamente llegó a reflejar la imagen del Salvador, no poseía por naturaleza esa belleza de carácter. No sólo hacía valer sus derechos y ambicionaba honores, sino que era impetuoso y se resentía bajo las injurias. Sin embargo, cuando se le manifestó el carácter divino de Cristo, vio su propia deficiencia y este conocimiento le humilló. La fortaleza y la paciencia, el poder y la ternura, la majestad y la mansedumbre que vio en la vida diaria del Hijo de Dios, llenaron su alma de admiración y amor. De día en día su corazón era atraído hacia Cristo, hasta que en su amor por su Maestro perdió de vista su propio yo. Su genio rencoroso y ambicioso cedió al poder transformador de Cristo. La influencia regeneradora del Espíritu Santo renovó su corazón. El poder del amor de Cristo transformó su carácter. Tal es el seguro resultado de la unión con Jesús. Cuando Cristo mora en el corazón, la naturaleza entera se transforma. El Espíritu de Cristo y su amor enternecen el corazón, subyugan el alma y elevan los pensamientos y deseos a Dios y al cielo.

Cuando Cristo ascendió a los cielos, el sentido de su presencia permaneció con los que le seguían. Era una presencia personal, impregnada de amor y luz. Jesús, el Salvador que había andado, conversado y orado con ellos, que había dirigido a sus

Cuando Cristo se humanó, vinculó a la humanidad consigo mediante un lazo que ningún poder es capaz de romper, salvo la decisión del hombre mismo.

corazones palabras de esperanza y consuelo, había sido llevado de su lado al cielo mientras les comunicaba un mensaje de paz, y los acentos de su voz: "He aquí, yo estoy con vosotros todos los días, hasta el fin del mundo" (S. Mateo 28:20, V. Valera), les llegaban todavía cuando una nube de ángeles le recibió. Había ascendido en forma humana, y ellos sabían que estaba delante del trono de Dios como Amigo y Salvador suyo, que sus simpatías no habían cambiado y que seguía identificado con la humanidad doliente. Estaba presentando delante de Dios los méritos de su sangre preciosa, estaba mostrándole sus manos y sus pies traspasados, para recordar el precio que había pagado por sus redimidos. Sabían que había ascendido al cielo para prepararles lugar y que volvería para llevarlos consigo.

Al congregarse después de la ascensión, estaban ansiosos de presentar sus peticiones al Padre en el nombre de Jesús. Con solemne reverencia se postraron en oración repitiendo la promesa: "Todo cuanto pidiereis al Padre en mi nombre, él os lo dará. Hasta ahora no habéis pedido nada en mi nombre: pedid, y recibiréis, para que vuestro gozo sea completo" (S. Juan 16:23, 24). Extendieron cada vez más alto la mano de la fe presentando este poderoso argumento: "¡Cristo Jesús es el que murió; más aún, el que fue levantado de entre los muertos; el que está a la diestra de Dios; el que también intercede por nosotros!" (Romanos 8:34).

El día de Pentecostés les trajo la presencia del Consolador, de quien Cristo había dicho: "Estará en vosotros". Les había dicho además: "Os conviene que yo vaya; porque si no me fuere, el Consolador no vendrá a vosotros; mas si me fuere, os le enviaré" (S. Juan 14:17; 16:7, V. Hispanoamericana). Y desde aquel día, mediante el Espíritu, Cristo iba a morar continuamente en el corazón de sus hijos. Su unión con ellos sería más estrecha que cuando estaba personalmente con ellos. La luz, el amor y el poder de la presencia de Cristo resplandecían de tal manera por medio de ellos que los hombres, al mirarlos, "se maravillaban; y al fin los reconocían, que eran de los que habían estado con Jesús" (Hechos 4:13).

Todo lo que Cristo fue para sus primeros discípulos desea serlo para sus hijos hoy, pues en su última oración que elevó estando junto al pequeño grupo reunido en derredor suyo, dijo: "No ruego solamente por éstos, sino por aquellos también que han de creer en mí por medio de la palabra de ellos" (S. Juan 17:20). Oró por nosotros y pidió que fuésemos uno con él, como él es uno con el Padre. ¡Cuán preciosa unión! El Salvador había dicho de sí mismo: "No puede el Hijo hacer nada de sí mismo"; "el Padre, morando en mí, hace las obras" (S. Juan 5:19; 14:10). Si Cristo está en nuestro corazón, obrará en nosotros "el querer como el hacer, por su buena voluntad" (Filipenses 2:13, V. Valera). Obraremos como él obró; manifestaremos el mismo espíritu. Amándole y morando en él, creceremos "en todos respectos en el que es la cabeza, es decir, en Cristo" (Efesios 4:15).

PRECIOSAS

Promesas

"Con sus plumas te cubrirá, y debajo de
sus alas estarás seguro. Escudo y adarga es
su verdad". Salmo 91:4.

"Mirad cuál amor nos ha dado el Padre, que seamos
llamados hijos de Dios. Por esto el mundo no nos conoce,
porque no le conoce a él. . . Nosotros le amamos a él,
porque él nos amó primero". 1 S. Juan 3:1; 4:19.

"El que tiene mis mandamientos, y los guarda,
aquél es el que me ama; y el que me ama, será amado
de mi Padre, y yo le amaré, y me manifestaré a él".
S. Juan 14:21.

"¿Quién es mentiroso, sino el que niega que
Jesús es el Cristo? Este tal es anticristo, que niega
al Padre y al Hijo". 1 S. Juan 2:22.

"Aunque afligido yo y necesitado, Jehová
pensará de mí. Mi ayuda y mi libertador eres tú.
Dios mío, no te tardes". Salmo 40:17.

"Bendito el Señor; cada día nos colma de beneficios;
el Dios de nuestra salud". Salmo 68:19.

"Mi Dios, pues, suplirá todo lo que os falta conforme a sus
riquezas en gloria en Cristo Jesús". Filipenses 4:19.

"Traed todos los diezmos al alfolí,
y haya alimento en mi casa; y probadme ahora en esto,
dice Jehová de los ejércitos, si no os abriré las ventanas
de los cielos, y vaciaré sobre vosotros bendición hasta
que sobreabunde". Malaquías 3:10.

Un mandamiento nuevo os doy: Que os améis unos a otros; como yo os he amado, que también os améis unos a otros. S. Juan 13:34.

Amando y Compartiendo

Dios es la fuente de vida, luz y gozo para el universo. Como los rayos de la luz del sol, como las corrientes de agua que brotan de un manantial vivo, las bendiciones descienden de él a todas sus criaturas. Y dondequiera que la vida de Dios esté en el corazón de los hombres, inundará a otros de amor y bendición.

El gozo de nuestro Salvador se cifraba en levantar y redimir a los hombres caídos. Para lograr este fin no consideró su vida como cosa preciosa, sino que sufrió la cruz y menospreció la ignominia. Así también los ángeles se dedican siempre a trabajar por la felicidad de otros. Esto constituye su gozo. Lo que los corazones egoístas considerarían ocupación degradante: servir a los desafortunados y en todo sentido inferiores a ellos mismos en carácter y jerarquía, es la obra de los ángeles exentos de pecado. El espíritu de amor y abnegación que manifiesta Cristo es el espíritu que llena los cielos, y es la misma esencia de su gloria. Es el espíritu que poseerán los discípulos de Cristo, la obra que harán.

Cuando atesoramos el amor de Cristo en el corazón, así como una dulce fragancia, no puede ocultarse. Su santa influencia será sentida por todos aquellos con quienes nos relacionemos. El espíritu de Cristo en el corazón es como un manantial en un desierto, que se derrama para refrescarlo todo, y despertar en los que ya están por perecer ansias de beber del agua de la vida.

El amor al Señor Jesús se manifestará por el deseo de trabajar como él trabajó, para beneficiar y elevar a la humanidad. Nos inspirará amor, ternura y simpatía por todas las criaturas que gozan del cuidado de nuestro Padre celestial.

La vida terrenal del Salvador no fue una vida de comodidad y devoción para sí, sino que él trabajó con esfuerzo persistente, fervoroso e infatigable por la salvación de la perdida humanidad. Desde el pesebre hasta el Calvario, siguió la senda de la abnegación y no procuró estar libre de tareas arduas y duros viajes, ni de trabajos y cuidados agotadores. Dijo: "El Hijo del hombre no vino para ser servido, sino para servir, y para dar su vida en rescate por muchos" (S. Mateo 20:28). Tal fue el gran objeto de su vida. Todo lo demás fue secundario y accesorio. Fue su comida y bebida hacer la voluntad de Dios y acabar su obra. En ésta no hubo amor propio ni egoísmo.

Así también los que son participantes de la gracia de Cristo estarán dispuestos a hacer cualquier sacrificio para que los otros

El amor al Señor Jesús se manifestará por el deseo de trabajar como él trabajó, para beneficiar y elevar a la humanidad.

por quienes él murió compartan el don celestial. Harán cuanto puedan para que su paso por el mundo lo mejore. Este espíritu es el fruto seguro del alma verdaderamente convertida. Tan pronto como uno acude a Cristo nace en el corazón un vivo deseo de hacer saber a otros cuán precioso amigo encontró en el Señor Jesús. La verdad salvadora y santificadora no puede permanecer encerrada en el corazón. Si estamos revestidos de la justicia de Cristo y rebosamos de gozo por la presencia de su Espíritu, no podremos guardar silencio. Si hemos probado y visto que el Señor es bueno, tendremos algo que decir a otros. Como Felipe cuando encontró al Salvador, invitaremos a otros a ir a él. Procuraremos presentarles los atractivos de Cristo y las realidades invisibles del mundo venidero. Anhelaremos seguir en la senda que Jesús recorrió y desearemos que quienes nos rodean puedan ver al "Cordero de Dios, que quita el pecado del mundo" (S. Juan 1:29).

Y el esfuerzo por hacer bien a otros se tornará en bendiciones para nosotros mismos. Tal era el designio de Dios al darnos una parte que hacer en el plan de redención. El concedió a los hombres el privilegio de ser hechos participantes de la naturaleza divina y de difundir a su vez bendiciones para sus hermanos. Este es el honor más alto y el gozo mayor que Dios pueda conferir a los hombres. Los que así participan en trabajos de amor son los que más se acercan a su Creador.

Dios podría haber encomendado a los ángeles del cielo el mensaje del Evangelio y todo el ministerio de amor. Podría haber empleado otros medios para llevar a cabo su propósito. Pero en su amor infinito quiso hacernos colaboradores con él, con Cristo y con los ángeles, para que compartiésemos la bendición, el gozo y la elevación espiritual que resultan de este abnegado ministerio.

Somos inducidos a simpatizar con Cristo mediante la comunión con sus padecimientos. Cada acto de sacrificio personal en favor de los demás robustece el espíritu de beneficencia en el corazón del dador y lo une más estrechamente con el Redentor del mundo, quien, "por amor de vosotros se hizo pobre, siendo rico; para que vosotros con su pobreza fueseis enriquecidos" (2 Corintios 8:9, V. Valera). Y sólo mientras cumplimos así el designio que Dios tenía al crearnos, puede la vida ser una bendición para nosotros.

Si trabajáis como Cristo quiere que sus discípulos trabajen y ganen almas para él, sentiréis la necesidad de una experiencia más profunda y de un conocimiento más amplio de las cosas divinas, y tendréis hambre y sed de justicia. Intercederéis con Dios y vuestra fe se robustecerá; vuestra alma beberá en abundancia de la fuente de salvación. El encontrar oposición y pruebas os llevará a leer la Escritura y a orar. Creceréis en la gracia y en el conocimiento de Cristo y adquiriréis una rica experiencia.

El trabajo desinteresado por otros da al carácter profundidad, firmeza y una amabilidad como la de Cristo; trae paz y felicidad al que posea tal carácter. Las aspiraciones se elevan. No hay lugar para la pereza ni el egoísmo. Los que de esta manera ejerciten las gracias cristianas crecerán y se harán fuertes para trabajar por Dios. Tendrán claras percepciones espirituales, una fe firme y creciente y aumentará su poder en la oración. El Espíritu de Dios, que mueve el espíritu de ellos, pone en juego las sagradas armonías del alma, en respuesta al toque divino. Los que así se consagran a un esfuerzo desinteresado por el bien ajeno están obrando ciertamente su propia salvación.

El único modo de crecer en la gracia consiste en hacer desinteresadamente la obra que Cristo nos ordenó hacer: dedicarnos, en la medida de nuestra capacidad, a auxiliar y beneficiar a los que necesitan la ayuda que podemos darles. La fuerza se desarrolla con el ejercicio; la actividad es la condición misma de la vida. Los que se esfuerzan por mantener su vida cristiana aceptando pasivamente las bendiciones comunicadas por los medios de gracia, sin hacer nada por Cristo, procuran simplemente vivir comiendo sin trabajar. Pero el resultado de esto, tanto en el mundo espiritual como en el temporal, es siempre degeneración y decadencia. El hombre que rehusara ejercitar sus miembros no tardaría en perder la facultad de usarlos. Asimismo, el cristiano que no ejercite las facultades que Dios le dio, no sólo dejará de crecer en Cristo sino que perderá la fuerza que tenía.

La iglesia de Cristo es la intermediaria elegida por Dios para salvar a los hombres. Su misión es llevar el Evangelio al mundo. Esta obligación recae sobre todos los cristianos. Cada uno de nosotros, hasta donde lo permitan sus talentos y oportunidades, tiene que cumplir el mandato del Salvador. El amor de Cristo que nos ha sido revelado nos hace deudores de cuantos no lo conocen. Dios nos dio luz, no sólo para nosotros, sino para que la derramemos sobre ellos.

Si los discípulos de Cristo comprendiesen su deber, habría mil heraldos proclamando el Evangelio a los paganos donde hoy hay uno. Y todos los que no pudieran dedicarse personalmente a la obra, la sostendrían con sus recursos, simpatías y oraciones. Y se trabajaría con más ardor en favor de las almas en los países cristianos.

No necesitamos ir a tierras de paganos —ni aun dejar el estrecho círculo del hogar, si allí nos retiene el deber— a fin de trabajar por Cristo. Podemos hacerlo en el seno del hogar, en la iglesia, entre aquellos con quienes nos asociamos y con quienes negociamos.

Nuestro Salvador pasó la mayor parte de su vida terrenal trabajando pacientemente en la carpintería de Nazaret. Los ángeles ministradores acompañaban al Señor de la vida mientras caminaba con campesinos y labradores, desconocido y sin honores. Estaba cumpliendo su misión tan fielmente mientras trabajaba en su humilde oficio, como cuando sanaba a los enfermos y andaba sobre las olas tempestuosas del mar de Galilea. Así también nosotros, en los deberes más humildes y en las posiciones más bajas de la vida, podemos andar y trabajar con Jesús.

Somos inducidos a simpatizar con Cristo mediante la comunión con sus padecimientos.

El apóstol dice: "Cada uno permanezca para con Dios en aquel estado en que fue llamado" (1 Corintios 7:24). El hombre de negocios puede dirigir sus asuntos de un modo que por su fidelidad glorifique a su Maestro. Si es verdadero discípulo de Cristo, pondrá en práctica su religión en todo lo que haga y revelará a los hombres el espíritu de Cristo. El obrero manual puede ser un diligente y fiel representante de Aquel que se ocupó en los trabajos humildes de la vida entre las colinas de Galilea. Todo aquel que lleva el nombre de Cristo debe obrar de tal modo que otros, viendo sus buenas obras, sean inducidos a glorificar a *su* Creador y Redentor.

Muchos se excusan de poner sus dones al servicio de Cristo porque otros poseen mejores dotes y aptitudes. Ha prevalecido la opinión de que sólo los que están especialmente dotados tienen que consagrar sus habilidades al servicio de Dios. Muchos han llegado a la conclusión de que únicamente cierta clase favorecida recibe talentos, y que esto excluye a los demás, que por supuesto no son llamados a participar de las tareas ni de los galardones. Pero no es ésta la enseñanza de la parábola. Cuando el señor de la casa llamó a sus siervos, dio a cada uno su trabajo.

Con espíritu de amor, podemos ejecutar los deberes más humildes de la vida "como para el Señor" (Colosenses 3:23). Si tenemos el amor de Dios en el corazón se manifestará en nuestra vida. El suave perfume de Cristo nos rodeará y nuestra influencia elevará y beneficiará a otros.

No debéis esperar mejores oportunidades o capacidades extraordinarias para empezar a trabajar por Dios. No necesitáis preocuparos de lo que el mundo dirá o pensará acerca de vosotros. Si vuestra vida diaria atestigua la pureza y sinceridad de vuestra fe, y los demás están convencidos de que deseáis hacerles bien, vuestros esfuerzos no serán enteramente perdidos.

Los más humildes y más pobres de los discípulos de Jesús pueden ser una bendición para otros. Tal vez no crean que están haciendo algún bien especial, pero por su influencia inconsciente pueden iniciar olas de bendición que se extenderán y profundizarán, cuyos benditos resultados ellos mismos desconocerán hasta el día de la recompensa final. No les parece que estén haciendo algo grande. No necesitan cargarse de ansiedad por el éxito. Basta que sigan adelante quedamente, haciendo fielmente la obra que la providencia de Dios les asigne, y no habrán vivido en vano.

Sus propias almas reflejarán cada vez mejor la semejanza de Cristo; son colaboradores de Dios en esta vida, y se están preparando para la obra más elevada y el gozo sin sombra de la vida venidera.

*P*ero los que esperan a Jehová tendrán nuevas
fuerzas; levantarán alas como las águilas;
correrán, y no se cansarán; caminarán,
y no se fatigarán. **Isaías 40:31.**

Remontándose Más Alto

Son muchas las maneras en que Dios procura dársenos a conocer y ponernos en comunión con él. La naturaleza habla sin cesar a nuestros sentidos. El corazón que esté preparado quedará impresionado por el amor y la gloria de Dios según los revelan las obras de sus manos. El oído atento puede escuchar y entender las comunicaciones de Dios por las cosas de la naturaleza. Los verdes campos, los elevados árboles, los capullos y las flores, la nubecilla que pasa, la lluvia que cae, el arroyo que murmura, las glorias de los cielos, hablan a nuestro corazón y nos invitan a conocer a Aquel que lo hizo todo.

Nuestro Salvador entrelazó sus preciosas lecciones con las cosas de la naturaleza. Los árboles, los pájaros, las flores de los valles, las colinas, los lagos y los hermosos cielos, así como los incidentes y las circunstancias de la vida diaria, fueron todos ligados a las palabras de verdad, para que así sus lecciones fuesen traídas a menudo a la memoria, aun en medio de los cuidados de la vida de trabajo del hombre.

Dios quiere que sus hijos aprecien sus obras y se deleiten en la sencilla y tranquila hermosura con que él adornó nuestra morada terrenal. El es amante de lo bello, y sobre todo ama la belleza del carácter, que es más atractiva que todo lo externo, y quiere que cultivemos la pureza y la sencillez, gracias características de las flores.

Si tan sólo queremos escuchar, las obras que Dios creó nos enseñarán preciosas lecciones de obediencia y confianza. Desde las estrellas que en su carrera sin huella por el espacio siguen de siglo en siglo los derroteros que les asignó, hasta el átomo más diminuto, las cosas de la naturaleza obedecen a la voluntad del Creador. Y Dios cuida y sostiene todo lo que creó. El que sustenta los innumerables mundos diseminados por la inmensidad, también tiene cuidado del gorrioncillo que entona sin temor su humilde canto. Cuando los hombres van a su trabajo, o están orando; cuando se acuestan por la noche o se levantan por la mañana; cuando el rico se sacia en el palacio, o cuando el pobre reúne a sus hijos alrededor de su escasa mesa, el Padre celestial vigila tiernamente a todos. No se derraman lágrimas sin que él lo note. No hay sonrisa que para él pase inadvertida.

Si creyéramos implícitamente esto, desecharíamos toda ansiedad indebida. Nuestras vidas no estarían tan llenas de desengaños como ahora; porque cada cosa, grande o pequeña, se dejaría en las manos de Dios, quien no se confunde por la multiplicidad de los cuidados, ni se abruma por su peso. Entonces nuestra alma gozaría de un reposo que muchos desconocen desde hace largo tiempo.

El tema de la redención es un tema que los ángeles desean escudriñar; será la ciencia y el canto de los redimidos durante las interminables edades de la eternidad.

Cuando vuestros sentidos se deleiten en la amena belleza de la tierra, pensad en el mundo venidero, que nunca conocerá mancha de pecado ni de muerte; donde la faz de la naturaleza no llevará más la sombra de la maldición. Represéntese vuestra imaginación la morada de los salvos; y recordad que será más gloriosa que cuanto pueda figurarse la más brillante imaginación. En los variados dones de Dios en la naturaleza no vemos sino el reflejo más pálido de su gloria. Está escrito: "Cosas que ojo no vio, ni oído oyó, ni han subido en corazón de hombre, son las que Dios ha preparado para los que le aman" (1 Corintios 2:9, V. Valera).

El poeta y el naturalista tienen muchas cosas que decir acerca de la naturaleza, pero es el creyente quien más goza de la belleza de la tierra, porque reconoce la obra de las manos de su Padre y percibe su amor, en la flor, el arbusto y el árbol. Nadie que no los mire como una expresión del amor de Dios al hombre puede apreciar plenamente la significación de la colina, del valle, del río y del mar.

Dios nos habla mediante sus obras providenciales y la influencia de su Espíritu Santo en el corazón. En nuestras circunstancias y ambiente, en los cambios que suceden diariamente en torno nuestro podemos encontrar preciosas lecciones, si tan sólo nuestros corazones están abiertos para recibirlas. El salmista, rastreando la obra de la Providencia divina, dice: "La tierra está llena de la misericordia de Jehová" (Salmo 33:5). "¡Quien sea sabio, observe estas cosas; y consideren todos la misericordia de Jehová!" (Salmo 107:43).

Dios nos habla también en su Palabra. En ella tenemos, en líneas más claras, la revelación de su carácter, de su trato con los hombres y de la gran obra de la redención. En ella se nos presenta la historia de los patriarcas, profetas y otros hombres santos de la antigüedad. Ellos estaban sujetos "a las mismas debilidades que nosotros" (Santiago 5:17). Vemos cómo lucharon entre descorazonamientos como los nuestros, cómo cayeron bajo tentaciones como hemos caído nosotros y sin embargo cobraron nuevo valor y vencieron por la gracia de Dios, y recordándolos, nos animamos en nuestra lucha por la justicia. Al leer el relato de los preciosos sucesos que se les permitió experimentar, la luz, el amor y la bendición que les tocó gozar y la obra que hicieron por la gracia a ellos dada, el espíritu que los inspiró enciende en nosotros un fuego de santo celo, un deseo de ser como ellos en carácter y de andar con Dios como ellos.

El Señor Jesús dijo de las Escrituras del Antiguo Testamento, y cuánto más cierto es esto acerca del Nuevo: "Ellas son las que dan testimonio de mí" (S. Juan 5:39), el Redentor, Aquel en quien se concentran vuestras esperanzas de la vida eterna. Sí, la Biblia entera nos habla de Cristo. Desde el primer relato de la creación, de la cual se dice: "Sin él nada de lo que es hecho, fue hecho" (S. Juan 1:3, V. Valera), hasta la última promesa: "¡He aquí, yo vengo presto!" (Apocalipsis 22:12), leemos acerca de sus obras y escuchamos su voz. Si deseáis conocer al Salvador, estudiad las Santas Escrituras.

Llenad vuestro corazón con las palabras de Dios. Son el agua viva que apaga vuestra sed. Son el pan vivo que descendió del cielo. Jesús declara: "A menos que comáis la carne del Hijo del hombre, y bebáis su sangre, no tendréis vida en vosotros". Y al explicarse, dice: "Las palabras que yo os he hablado espíritu y vida son" (S. Juan 6:53, 63). Nuestros cuerpos viven de lo que comemos y bebemos; y lo que sucede en la vida natural sucede en la espiritual: lo que meditamos es lo que da tono y vigor a nuestra naturaleza espiritual.

El tema de la redención es un tema que los ángeles desean escudriñar; será la ciencia y el canto de los redimidos durante las interminables edades de la eternidad. ¿No es un tema digno de atención y estudio ahora? La infinita misericordia y el amor de Jesús, el sacrificio hecho en nuestro favor, demandan de nosotros la más seria y solemne reflexión. Debemos espaciarnos en

Mientras meditemos en la perfección del Salvador desearemos ser enteramente transformados y renovados conforme a la imagen de su pureza.

el carácter de nuestro querido Redentor e Intercesor. Debemos meditar en la misión de Aquel que vino a salvar a su pueblo de sus pecados. Cuando contemplemos así los asuntos celestiales, nuestra fe y amor serán más fuertes y nuestras oraciones más aceptables a Dios, porque se elevarán acompañadas de más fe y amor. Serán inteligentes y fervorosas. Habrá una confianza constante en Jesús y una experiencia viva y diaria en su poder de salvar completamente a todos los que van a Dios por medio de él.

Mientras meditemos en la perfección del Salvador desearemos ser enteramente transformados y renovados conforme a la imagen de su pureza. Nuestra alma tendrá hambre y sed de llegar a ser como Aquel a quien adoramos. Cuanto más concentremos nuestros pensamientos en Cristo, más hablaremos de él a otros y mejor le representaremos ante el mundo.

La Biblia no fue escrita solamente para el hombre erudito; al contrario, fue destinada a la gente común. Las grandes verdades necesarias para la salvación están presentadas con tanta claridad como la luz del mediodía; y nadie equivocará o perderá el camino, salvo los que sigan su juicio privado en vez de la voluntad divina tan claramente revelada.

No debemos conformarnos con el testimonio de hombre alguno en cuanto a lo que enseñan las Santas Escrituras, sino que debemos estudiar las palabras de Dios por

No hay ninguna cosa mejor para fortalecer la inteligencia que el estudio de las Santas Escrituras.

nosotros mismos. Si dejamos que otros piensen por nosotros, nuestra energía quedará mutilada y limitadas nuestras aptitudes. Las nobles facultades del alma pueden reducirse tanto por no ejercitarse en temas dignos de su concentración, que lleguen a ser incapaces de penetrar la profunda significación de la Palabra de Dios. La inteligencia se desarrolla si se emplea en investigar la relación de los asuntos de la Biblia, comparando escritura con escritura y lo espiritual con lo espiritual.

No hay ninguna cosa mejor para fortalecer la inteligencia que el estudio de las Santas Escrituras. Ningún otro libro es tan potente para elevar los pensamientos, para dar vigor a las facultades, como las grandes y ennoblecedoras verdades de la Biblia. Si se estudiara la Palabra de Dios como se debe, los hombres tendrían una grandeza de espíritu, una nobleza de carácter y una firmeza de propósito que raramente pueden verse en estos tiempos.

No se saca sino un beneficio muy pequeño de una lectura precipitada de las Sagradas Escrituras. Uno puede leer toda la Biblia y quedarse, sin embargo, sin ver su belleza o comprender su sentido profundo y oculto. Un pasaje estudiado hasta que su significado nos sea claro y evidentes sus relaciones con el plan de salvación, resulta de mucho más valor que la lectura de muchos capítulos sin un propósito determinado y sin obtener una instrucción positiva. Tened vuestra Biblia a mano. Leedla cuando tengáis oportunidad; fijad los textos en vuestra memoria. Aun al ir por la calle podéis leer un pasaje y meditar en él hasta que se grabe en la mente.

No podemos obtener sabiduría sin una atención verdadera y un estudio con oración. Algunas porciones de la Santa Escritura son en verdad demasiado claras para que se puedan entender mal; pero hay otras cuyo significado no es superficial, y no se discierne a primera vista. Se debe comparar pasaje con pasaje. Debe haber un escudriñamiento cuidadoso y una reflexión acompañada de oración. Y tal estudio será abundantemente recompensado. Como el minero descubre vetas de precioso metal ocultas debajo de la superficie de la tierra, así también el que con perseverancia escudriña la Palabra de Dios en busca de sus tesoros escondidos encontrará verdades del mayor valor ocultas de la vista del investigador descuidado. Las palabras de la inspiración, meditadas en el alma, serán como ríos de agua que manan de la fuente de la vida.

Nunca se deben estudiar las Sagradas Escrituras sin oración. Antes de abrir sus páginas debemos pedir la iluminación del Espíritu Santo, y ésta nos será dada. Cuando Natanael fue al Señor Jesús, el Salvador exclamó: "He aquí verdaderamente un israelita, en quien no hay engaño". Dícele Natanael: "¿De dónde me conoces?" Y Jesús respondió: "Antes que Felipe te llamara, cuando estabas bajo la higuera, te vi" (S. Juan 1:47, 48). Así también nos verá el Señor Jesús en los lugares secretos de oración, si le buscamos para que nos dé luz y nos permita saber lo que es la verdad. Los ángeles del mundo de luz acompañarán a los que busquen con humildad de corazón la dirección divina.

El Espíritu Santo exalta y glorifica al Salvador. Está encargado de presentar a Cristo, la pureza de su justicia y la gran salvación que obtenemos por él. El Señor Jesús dijo: El Espíritu "tomará de lo mío, y os lo anunciará" (S. Juan 16:14). El Espíritu de verdad es el único maestro eficaz de la verdad divina. ¡Cuánto no estimará Dios a la raza humana, siendo que dio a su Hijo para que muriese por ella, y manda su Espíritu para que sea de continuo el maestro y guía del hombre!

PRECIOSAS

Promesas

"Diré yo a Jehová: Esperanza mía, y
castillo mío; mi Dios, en él confiaré". Salmo 91:2.

"Cercano está Jehová a todos los que le invocan,
a todos los que le invocan de veras. Cumplirá el deseo
de los que le temen; oirá asimismo el clamor de ellos,
y los salvará". Salmo 145:18, 19.

"El es quien perdona todas tus iniquidades. . .
Cuanto está lejos el oriente del occidente, hizo alejar de
nosotros nuestras rebeliones". Salmo 103:3, 12.

"Tarde y mañana y a mediodía oraré y clamaré,
y él oirá mi voz". Salmo 55:17.

"Bendito Dios, que no echó de sí mi oración,
ni de mí su misericordia". Salmo 66:20.

"Y esta es la confianza que tenemos en él, que si
demandáremos alguna cosa conforme a su voluntad, él nos
oye. Y si sabemos que él nos oye en cualquiera cosa que
demandáremos, sabemos que tenemos las peticiones que le
hubiéremos demandado". 1 S. Juan 5:14, 15.

"Y guiaré a los ciegos por camino que no sabían,
haréles pisar por las sendas que no habían conocido;
delante de ellos tornaré las tinieblas en luz, y los rodeos en
llanura. Estas cosas les haré, y no los desampararé".
Isaías 42:16.

"Y será que antes que clamen, responderé yo; aún estando
ellos hablando, yo habré oído". Isaías 65:24.

LA ORACIÓN ESPECIAL DE SARA

Este relato es sobre una misionera a la cual llamaremos Sara. Los compañeros de trabajo de Sara ya habían regresado a su país. Cuando su período de servicio en la pequeña Misión del Sureste de Asia estaba por concluir, comenzó a experimentar un dolor agudo en el costado y el estómago. Para añadir a sus problemas, el cheque que debía recibir de la Junta Misionera no había llegado.

Día tras día Sara iba al correo con la esperanza de encontrar el dinero que tanto necesitaba pero siempre regresaba a la misión con las manos vacías. A la vez que el dolor en su estómago aumentaba, sus víveres disminuían hasta que todo lo que le quedaba era un gran barril de avena, algo que ella detestaba. ¿Qué podía hacer? Como cualquier buen cristiano en una situación adversa, Sara le pidió a Dios que la sanara y que pronto llegara el cheque para comprar un boleto de regreso al hogar y algo de comer que no fuera sólo avena.

Pasaron varias semanas. Tres veces al día, cada día, Sara comía de la avena que detestaba e iba al correo para buscar la ansiada carta de los Estados Unidos. Poco a poco su salud mejoró. Aunque parecía que Dios estaba contestando su primer pedido, nada sucedía en cuanto al segundo. Finalmente llegaron los nuevos misioneros y con ellos el cheque esperado. Después de comprar su boleto, Sara fue a un restaurante local y se dio un verdadero banquete, sin el menor rastro de avena.

Inmediatamente después de llegar a los Estados Unidos, Sara fue al médico para que le hicieran un examen completo. Le contó al doctor acerca de su malestar y su dieta eterna de avena.

El médico ordenó que le hicieran pruebas para determinar si en verdad se había recobrado por completo. Cuando obtuvo los resultados, el doctor sacudió la cabeza de asombro. Sara se había recuperado de un caso severo de colitis. Si hubiese estado en los Estados Unidos, los médicos la hubiesen operado. También le dijo que la odiada dieta de avena había sido responsable de su curación. ¿Quién habría adivinado que aquella cosa que tanto detestaba había sido la respuesta a su oración?

Como Sara, usted y yo pocas veces sabemos qué es lo que mejor nos conviene ni cuál sería la mejor respuesta a nuestra oración. Si pacientemente confiamos en que Dios hará lo mejor en nuestro favor, tarde o temprano nos gozaremos en que contestó nuestras oraciones a su manera y a su tiempo. Como Sara, descubriremos que el Rey del universo sabía lo que estaba haciendo.

Y todo lo que pidiereis al Padre en mi nombre,
lo haré, para que el Padre sea glorificado en el Hijo.
S. Juan 14:13.

El Poder de la Oración

Dios nos habla por la naturaleza y por la revelación, por su providencia y por la influencia de su Espíritu. Pero esto no basta; necesitamos abrirle nuestro corazón. A fin de tener vida y energía espirituales debemos tener verdadero intercambio con nuestro Padre celestial. Nuestra mente puede ser atraída hacia él; podemos meditar en sus obras, sus misericordias, sus bendiciones; pero esto no es, en el sentido pleno de la palabra, estar en comunión con él. Para ponernos en comunión con Dios debemos tener algo que decirle tocante a nuestra vida real.

Orar es el acto de abrir nuestro corazón a Dios como a un amigo. No es que se necesite esto para que Dios sepa lo que somos, sino a fin de capacitarnos para recibirle. La oración no baja a Dios hacia nosotros, antes bien nos eleva a él.

Cuando Jesús estuvo sobre la tierra, enseñó a sus discípulos a orar. Les enseñó a presentar a Dios sus necesidades diarias y a confiarle toda su solicitud. Y la seguridad que les dio de que sus oraciones serían oídas nos es dada también a nosotros.

El Señor Jesús mismo, cuando habitó entre los hombres, oraba frecuentemente. Nuestro Salvador se identificó con nuestras necesidades y flaquezas al convertirse en un suplicante que imploraba de su Padre nueva provisión de fuerza, para avanzar vigorizado para el deber y la prueba. El es nuestro ejemplo en todas las cosas. Es un hermano en nuestras debilidades, "tentado en todo así como nosotros", pero como ser inmaculado, rehuyó el mal; su alma sufrió las luchas y torturas de un mundo de pecado. Como humano, la oración fue para él una necesidad y un privilegio. Encontraba consuelo y gozo en la comunión con su Padre. Y si el Salvador de los hombres, el Hijo de Dios, sintió la necesidad de orar, ¡cuánto más nosotros, débiles mortales, manchados por el pecado, no debemos sentir la necesidad de orar con fervor y constancia!

Nuestro Padre celestial está esperando para derramar sobre nosotros la plenitud de sus bendiciones. Es privilegio nuestro beber abundantemente en la fuente del amor infinito. ¡Cuán extraño es que oremos tan poco! Dios está pronto y dispuesto a oír la oración de sus hijos, y no obstante hay de nuestra parte mucha vacilación para presentar nuestras necesidades delante de Dios. ¿Qué pueden los ángeles del cielo

Orar es el acto de abrir nuestro corazón a Dios como a un amigo. No es que se necesite esto para que Dios sepa lo que somos, sino a fin de capacitarnos para recibirle. La oración no baja a Dios hacia nosotros, antes bien nos eleva a él.

pensar de unos seres humanos pobres y sin fuerza, sujetos a la tentación, y que sin embargo oran tan poco y tienen tan poca fe, cuando el gran Dios lleno de infinito amor se compadece de ellos y está pronto para darles más de lo que pueden pedir o pensar? Los ángeles se deleitan en postrarse delante de Dios y en estar cerca de él. Es su mayor delicia estar en comunión con Dios; y con todo, los hijos de los hombres, que tanto necesitan la ayuda que sólo Dios puede dar, parecen satisfechos con andar privados de la luz de su Espíritu y de la compañía de su presencia.

Las tinieblas del malo cercan a aquellos que descuidan la oración. Las tentaciones secretas del enemigo los incitan al pecado; y todo porque ellos no se valen del privilegio de orar que Dios les ha concedido. ¿Por qué los hijos e hijas de Dios han de ser tan remisos para orar, cuando la oración es la llave en la mano de la fe para abrir el almacén del cielo, donde están atesorados los recursos infinitos de la Omnipotencia? Sin oración incesante y vigilancia diligente corremos el riesgo de volvernos indiferentes y de desviarnos del sendero recto. Nuestro adversario procura constantemente obstruir el camino al propiciatorio, para que no obtengamos, mediante fervientes súplicas y fe, gracia y poder para resistir la tentación.

Hay ciertas condiciones de acuerdo con las cuales podemos esperar que Dios oiga y conteste nuestras oraciones. Una de las primeras es que sintamos necesidad de la ayuda que él puede dar. Nos ha dejado esta promesa: "Porque derramaré aguas sobre la tierra sedienta, y corrientes sobre el sequedal" (Isaías 44:3). Los que tienen hambre y sed de justicia, los que suspiran por Dios, pueden estar seguros de que serán saciados. El corazón debe estar abierto a la influencia del Espíritu; de otra manera no puede recibir las bendiciones de Dios.

Nuestra gran necesidad es en sí misma un argumento, y habla elocuentemente en nuestro favor. Pero se necesita buscar al Señor para que haga estas cosas por nosotros. Nos dice: "Pedid, y se os dará" (S. Mateo 7:7). Y "el que ni aun a su propio Hijo perdonó, sino que le entregó por todos nosotros, ¿cómo no nos ha de dar también de pura gracia, todas las cosas juntamente con él?" (Romanos 8:32).

Si toleramos la iniquidad en nuestro corazón, si nos aferramos a algún pecado conocido, el Señor no nos oirá: mas la oración del alma arrepentida y contrita será siempre aceptada. Cuando hayamos confesado con corazón contrito, y reparado en lo posible todos nuestros pecados conocidos, podremos esperar que Dios contestará nuestras oraciones. Nuestros propios méritos no nos recomiendan a la gracia de Dios. Es el mérito del Señor Jesús lo que nos salva y su sangre lo que nos limpia; sin embargo nosotros tenemos una obra que hacer para cumplir las condiciones de la aceptación. La oración eficaz tiene otro elemento: la fe. "Porque es preciso que el que viene a Dios, crea que existe, y que se ha constituido remunerador de los que le buscan" (Hebreos 11:6). El Señor Jesús dijo a sus discípulos: "Todo cuanto pidiereis en la oración, creed que lo recibisteis ya; y lo tendréis" (S. Marcos 11:24). ¿Creéis al pie de la letra todo lo que nos dice?

La seguridad es amplia e ilimitada, y fiel es el que ha prometido. Cuando no recibimos precisamente y al instante las cosas que pedimos, debemos seguir creyendo que el Señor oye y que contestará nuestras oraciones. Somos tan cortos de vista y propensos a errar, que algunas veces pedimos cosas que no serían una bendición para nosotros, y nuestro Padre celestial contesta con amor nuestras oraciones dándonos aquello que es para nuestro más alto bien, aquello que nosotros mismos desearíamos si, alumbrados de celestial saber, pudiéramos ver todas las cosas como

realmente son. Cuando nos parezca que nuestras oraciones no son contestadas, debemos aferrarnos a la promesa; porque el tiempo de recibir contestación vendrá seguramente y recibiremos las bendiciones que más necesitamos. Por supuesto, pretender que nuestras oraciones sean siempre contestadas en la misma forma y según la cosa particular que pidamos, es presunción. Dios es demasiado sabio para equivocarse, y demasiado bueno para negar un bien a los que andan en integridad. Así que no temáis confiar en él, aunque no veáis la inmediata respuesta a vuestras oraciones. Confiad en la seguridad de su promesa: "Pedid, y se os dará".

¿Por qué los hijos e hijas de Dios han de ser tan remisos para orar, cuando la oración es la llave en la mano de la fe para abrir el almacén del cielo, donde están atesorados los recursos infinitos de la Omnipotencia?

Si consultamos nuestras dudas y temores, o antes de tener fe procuramos resolver todo lo que no veamos claramente, las perplejidades no harán sino acrecentarse y ahondarse. Pero si nos allegamos a Dios sintiéndonos desamparados y necesitados, como realmente somos, y con fe humilde y confiada presentamos nuestras necesidades a Aquel cuyo conocimiento es infinito y que ve toda la creación y todo lo gobierna por su voluntad y palabra, él puede y quiere atender a nuestro clamor, y hará resplandecer la luz en nuestro corazón. Por la oración sincera nos ponemos en comunicación con la mente del Infinito. Quizás no tengamos al instante alguna prueba notable de que el rostro de nuestro Redentor se inclina hacia nosotros con compasión y amor; y sin embargo es así. Tal vez no sintamos su toque manifiesto, mas su mano se extiende sobre nosotros con amor y piadosa ternura.

Nuestro Padre celestial contesta con amor nuestras oraciones dándonos aquello que es para nuestro más alto bien, aquello que nosotros mismos desearíamos si, alumbrados de celestial saber, pudiéramos ver todas las cosas como realmente son.

Cuando imploramos misericordia y bendición de Dios, debemos tener un espíritu de amor y perdón en nuestro propio corazón. ¿Cómo podemos orar: "Perdónanos nuestras deudas, *como* también nosotros perdonamos a nuestros deudores" (S. Mateo 6:12), y abrigar, sin embargo, un espíritu que no perdona? Si esperamos que

nuestras oraciones sean oídas, debemos perdonar a otros como esperamos ser perdonados nosotros.

La perseverancia en la oración ha sido constituida en condición para recibir. Debemos orar siempre si queremos crecer en fe y en experiencia. Debemos ser "perseverantes en la oración" (Romanos 12:12). "Perseverad en la oración, velando en ella, con acciones de gracia" (Colosenses 4:2). El apóstol Pedro exhorta a los cristianos a que sean "sobrios, y vigilantes en las oraciones" (1 S. Pedro 1:7). El apóstol Pablo aconseja: "En todas las circunstancias, por medio de la oración y la plegaria, con acciones de gracias, dense a conocer vuestras peticiones a Dios" (Filipenses 4:6). Dice Judas: "Vosotros empero, hermanos,… orando en el Espíritu Santo, guardaos en el amor de Dios" (S. Judas 20, 21). Orar sin cesar es mantener una unión continua del alma con Dios, de modo que la vida de Dios fluya a la nuestra, y de nuestra vida la pureza y la santidad refluyan a Dios.

Es necesario ser diligentes en la oración; ninguna cosa os lo impida. Haced cuanto podáis para que haya una comunión continua entre el Señor Jesús y vuestra alma. Aprovechad toda oportunidad de ir adonde se suela orar. Los que están realmente procurando mantenerse en comunión con Dios asistirán a los cultos de oración, serán fieles en cumplir su deber, y ávidos y ansiosos de cosechar todos los beneficios que puedan alcanzar. Aprovecharán toda oportunidad de colocarse donde puedan recibir rayos de luz celestial.

Debemos orar también en el círculo de nuestra familia; y sobre todo no descuidar la oración privada, porque ella es la vida del alma. Es imposible que el alma florezca cuando se descuida la oración. La sola oración pública o con la familia no es suficiente. En medio de la soledad, abrid vuestra alma al ojo penetrante de Dios. La oración secreta sólo debe ser oída por el Dios que oye las oraciones. Ningún oído curioso debe recibir el peso de tales peticiones. En la oración privada el alma está libre de las influencias del ambiente, libre de excitación. Tranquila pero fervientemente se elevará la oración hacia Dios. Dulce y permanente será la influencia que dimana de Aquel que ve en lo secreto, cuyo oído está abierto a la oración que brota del corazón. Por una fe sencilla y serena el alma se mantiene en comunión con Dios, y recoge los rayos de la luz divina para fortalecerse y sostenerse en la lucha contra Satanás. Dios es el castillo de nuestra fortaleza.

Orad en vuestro gabinete; mientras atendéis vuestro trabajo cotidiano, levantad a menudo vuestro corazón a Dios. Así fue como anduvo Enoc con Dios. Esas oraciones silenciosas suben como precioso incienso ante el trono de la gracia. Satanás no puede vencer a aquel cuyo corazón está así apoyado en Dios.

No hay tiempo o lugar en que sea impropio orar a Dios. No hay nada que pueda impedirnos elevar nuestro corazón en ferviente oración. En medio de las multitudes de las calles o en medio de una sesión de nuestros negocios, podemos elevar a Dios una oración e implorar la dirección divina, como lo hizo Nehemías cuando presentó una petición delante del rey Artajerjes. Dondequiera que estemos podemos estar en comunión con Dios. Debe-

mos tener abierta de continuo la puerta del corazón e invitar siempre al Señor Jesús a venir y morar en nuestra alma como huésped celestial.

Aunque estemos rodeados de una atmósfera corrompida y mancillada, no necesitamos respirar sus miasmas; antes bien

Orar sin cesar es mantener una unión continua del alma con Dios, de modo que la vida de Dios fluya a la nuestra, y de nuestra vida la pureza y la santidad refluyan a Dios.

podemos vivir en el ambiente limpio del cielo. Elevando el alma a Dios mediante la oración sincera podemos cerrar la entrada a toda imaginación impura y a todo pensamiento impío. Aquellos cuyo corazón esté abierto para recibir el apoyo y la bendición de Dios andarán en una atmósfera más santa que la del mundo y tendrán constante comunión con el cielo.

Necesitamos tener ideas más claras del Señor Jesús y una comprensión más completa del valor de las realidades eternas. La hermosura de la santidad ha de saciar el corazón de los hijos de Dios; y para que esto suceda debemos buscar las revelaciones de las cosas celestiales.

Esfuércese nuestra alma y elévese para que Dios nos permita respirar la atmósfera celestial. Podemos mantenernos tan cerca de Dios que en cualquier prueba inesperada nuestros pensamientos se vuelvan hacia él tan naturalmente como la flor se vuelve hacia el sol.

Presentad a Dios vuestras necesidades, tristezas, gozos, cuidados y temores. No podéis agobiarle ni cansarle. El que tiene contados los cabellos de vuestra ca-

Las relaciones entre Dios y cada una de las almas son tan claras y plenas como si no hubiese otra alma por la cual hubiera dado a su Hijo amado.

beza no es indiferente a las necesidades de sus hijos. "Porque el Señor es muy misericordioso y compasivo" (Santiago 5:11). Su amoroso corazón se conmueve por nuestras tristezas y aun por nuestra presentación de ellas. Llevadle todo lo que confunda vuestra mente. Ninguna cosa es demasiado grande para que él no la pueda soportar, pues sostiene los mundos y rige todos los asuntos del universo. Ninguna cosa que de alguna manera afecte nuestra paz es tan pequeña que él no la note. No hay en nuestra experiencia ningún pasaje tan oscuro que él no lo pueda leer, ni perplejidad tan grande que no la pueda desenredar.

Ninguna calamidad puede acaecer al más pequeño de sus hijos, ninguna ansiedad puede asaltar el alma, ningún gozo alegrar, ninguna oración sincera escaparse de los labios, sin que el Padre celestial lo note, sin que tome en ello un interés inmediato. El "sana a los quebrantados de corazón, y venda sus heridas" (Salmo 147:3). Las relaciones entre Dios y cada una de las almas son tan claras y plenas como si no hubiese otra alma por la cual hubiera dado a su Hijo amado.

El Señor Jesús decía: "Pediréis en mi nombre; y no os digo que yo rogaré al Padre por vosotros; porque el Padre mismo os ama" (S. Juan 16:26, 27). "Yo os elegí a vosotros,... para que todo cuanto pidiereis al Padre en mi nombre, él os lo dé" (S. Juan 15:16). Orar en el nombre del Señor Jesús es más que hacer simplemente mención de su nombre al principio y al fin de la oración. Es orar con los sentimientos y el espíritu de él, creyendo en sus promesas, confiando en su gracia y haciendo sus obras.

Dios no pide que algunos de nosotros nos hagamos ermitaños o monjes, ni que nos retiremos del mundo, a fin de consagrarnos a los actos de adoración. Nuestra vida debe ser como la vida de Cristo, que estaba repartida entre la montaña y la multitud. El que no hace nada más que orar, pronto dejará de hacerlo, o sus oraciones llegarán a ser una rutina formal. Cuando los hombres se alejan de la vida social, de la esfera del deber cristiano y de la obligación de llevar su cruz, cuando dejan de trabajar fervorosamente por el Maestro que trabajó con ardor por ellos, pierden lo esencial de la oración y no tienen ya estímulo para la devoción. Sus oraciones llegan a ser personales y egoístas. No pueden orar por las necesidades de la humanidad o la extensión del reino de Cristo ni pedir fuerza con que trabajar.

Sufrimos una pérdida cuando descuidamos la oportunidad de congregarnos para fortalecernos y edificarnos mutuamente en el servicio de Dios. Las verdades de su Palabra pierden en nuestras almas su vivacidad e importancia. Nuestros corazones dejan de ser alumbrados y vivificados para la influencia santificadora y nuestra espiritualidad declina. En nuestro trato como cristianos perdemos mucho por falta de simpatía mutua. El que se encierra completamente dentro de sí mismo no ocupa la posición que Dios le señaló. El cultivo apropiado de los elementos sociales de nuestra naturaleza nos hace simpatizar con otros, y es para nosotros un medio de desarrollarnos y fortalecernos en el servicio de Dios.

Si todos los cristianos se asociaran y se hablasen unos a otros del amor de Dios y de las preciosas promesas de la redención, su corazón se robustecería, y se edificarían mutuamente. Aprendamos diariamente más de nuestro Padre celestial, obteniendo una nueva experiencia de su gracia, y entonces desearemos hablar de su amor. Mientras lo hagamos nuestro propio corazón se enternecerá y reanimará. Si pensáramos y habláramos más del Señor Jesús y menos de nosotros mismos, tendríamos mucho más de su presencia.

Si tan sólo pensáramos en él tantas veces como tenemos pruebas de su cuidado para nosotros, lo tendríamos siempre presente en nuestros pensamientos y nos deleitaríamos en hablar de él y en alabarle.

Hablamos de las cosas temporales porque tenemos interés en ellas. Hablamos de nuestros amigos porque los amamos; nuestras tristezas y alegrías están ligadas con ellos. Sin embargo, tenemos razones infinitamente mayores para amar a Dios que para amar a nuestros amigos terrenales, y debería ser la cosa más natural del mundo darle el primer lugar en nuestros pensamientos, hablar de su bondad y alabar su poder. Los ricos dones que ha derramado sobre nosotros no estaban destinados a absorber nuestros pensamientos y amor de tal manera que nada tuviéramos que dar a Dios; al contrario, debieran hacernos acordar constantemente de él y unirnos por

> *Si todos los cristianos se asociaran y se hablasen unos a otros del amor de Dios y de las preciosas promesas de la redención, su corazón se robustecería, y se edificarían mutuamente.*

vínculos de amor y gratitud a nuestro Benefactor celestial. Vivimos demasiado apegados a lo terreno. Levantemos nuestros ojos hacia la puerta abierta del santuario celestial, donde la luz de la gloria de Dios resplandece en el rostro de Cristo, quien "también, puede salvar hasta lo sumo a los que se acercan a Dios por medio de él" (Hebreos 7:25).

Necesitamos alabar más a Dios por su "misericordia… y sus maravillas para con los hijos de los hombres" (Salmo 107:8). Nuestros ejercicios de devoción no deben consistir enteramente en pedir y recibir. No estemos pensando siempre en nuestras necesidades y nunca en los beneficios que recibimos. No oramos nunca demasiado, pero somos muy parcos en dar gracias. Constantemente estamos recibiendo las misericordias de Dios y, sin embargo, ¡cuán poca gratitud expresamos!, ¡cuán poco le alabamos por lo que ha hecho en nuestro favor!

Antiguamente el Señor ordenó esto a Israel para cuando se congregara a fin de rendirle culto: "Comeréis allí delante de Jehová vuestro Dios; y os regocijaréis vosotros y vuestras familias en toda empresa de vuestra mano, en que os habrá bendecido Jehová vuestro Dios" (Deuteronomio 12:7). Lo que se hace para gloria de Dios debe hacerse con alegría, con cánticos de alabanza y acción de gracias, no con tristeza y semblante adusto.

Nuestro Dios es un Padre tierno y misericordioso. Su servicio no debe mirarse como una cosa que entristece, como un ejercicio que desagrada. Debe ser un placer adorar al Señor y participar en su obra. Dios no quiere que sus hijos, a los cuales proporcionó una salvación tan grande, obren como si él fuera un amo duro y exigente. El es nuestro mejor amigo; y cuando le adoramos quiere estar con nosotros, para bendecirnos y confortarnos llenando nuestro corazón de alegría y amor. El Señor quiere que sus hijos hallen consuelo en servirle y más placer que fatiga en su obra. El quiere que quienes vengan a adorarle se lleven pensamientos preciosos acerca de su amor y cuidado, a fin de que estén alentados en toda ocasión de la vida y tengan gracia para obrar honrada y fielmente en todo.

Debemos reunirnos en torno a la cruz. Cristo, y Cristo crucificado, debe ser el tema de nuestra meditación, conversación y más gozosa emoción. Debemos recordar todas las bendiciones que recibimos de Dios; y al cerciorarnos de su gran amor, debiéramos estar dispuestos a confiar todas las cosas a la mano que fue clavada en la cruz en nuestro favor.

El alma puede elevarse hacia el cielo en alas de la alabanza. Dios es adorado con cánticos y música en las mansiones celestiales, y al expresar nuestra gratitud nos aproximamos al culto que rinden los habitantes del cielo. Se nos dice: "El que ofrece sacrificio de alabanza me glorificará" (Salmo 50:23). Presentémonos, pues, con gozo reverente delante de nuestro Creador, con "acciones de gracias y voz de melodía" (Isaías 51:3).

Una Razón Para Cantar

A comienzos de siglo, Japón invadió, conquistó y ocupó Corea. Los conquistadores cometieron crímenes inhumanos contra los habitantes y especialmente contra los cristianos. Además de la persecución de individuos, los japoneses cerraron todas las iglesias. Un pastor pidió permiso para abrir su iglesia para un último servicio religioso. Finalmente el jefe de policía japonés accedió.

En el día aprobado, familias coreanas entraron a la iglesia para alabar a Dios. Comenzaron su culto cantando himnos. Mientras cantaban una estrofa del himno "Perdido fui a mi Jesús", los soldados japoneses bloquearon todas las salidas y prendieron fuego a la iglesia.

Las personas que estaban afuera sin poder hacer nada escucharon cómo los acordes musicales y los llantos de los niños fueron ahogados por el rugido de las llamas. El fuego se apagó, pero las llamas del odio continuaron ardiendo en lo más profundo del corazón de los coreanos. Cuando Japón perdió la guerra los japoneses se fueron de Corea, pero para los cristianos y los no cristianos el odio contra los conquistadores siguió creciendo con cada año que pasaba. El monumento que el gobierno coreano levantó en el lugar del suceso continuaba recordándoles la terrible masacre.

En 1971, un grupo de turistas japoneses que viajaban por Corea accidentalmente descubrieron el monumento. Cuando leyeron los nombres de los que habían muerto allí y los detalles del evento, se sintieron abrumados de vergüenza. Regresaron a Japón y se propusieron hacer algo para mostrar sus sentimientos. Decidieron reunir fondos ($25.000) para levantar una nueva iglesia, una pequeña capilla blanca en el lugar de la tragedia.

Los japoneses enviaron una delegación al programa de apertura. Se dieron discursos, se recordaron detalles de la tragedia y se honraron los muertos, pero el rencor que se había albergado durante décadas se podía sentir en la congregación. Pero algo asombroso sucedió hacia el fin del servicio cuando los cristianos japoneses y coreanos comenzaron a cantar el himno de conclusión: "Perdido fui a mi Jesús".

Lágrimas corrieron por el rostro de japoneses usualmente inmutables. Se volvieron hacia sus parientes espirituales y les pidieron perdón. El corazón lleno de odio de los coreanos se quebrantó mientras cantaban el coro. "Fue primero en la cruz donde yo vi la luz, y mi carga de pecado dejé..."

Un coreano se volvió hacia su hermano japonés y luego otro y otro más, hasta que las compuertas de la emoción no podían sostenerse cerradas. Lágrimas de arrepentimiento y perdón inundaron el sitio de la amargura y el odio, dejando en su lugar reconciliación y amor.

No temas, porque yo estoy contigo; no desmayes, porque yo soy tu Dios que te esfuerzo; siempre te ayudaré, siempre te sustentaré con la diestra de mi justicia". Isaías 41:10.

Venciendo la Duda

Muchos, especialmente los que son jóvenes en la vida cristiana, se sienten a veces turbados por las insinuaciones del escepticismo. Hay en la Escritura muchas cosas que no pueden explicar, ni siquiera percibir, y Satanás las emplea para hacer vacilar su fe en las Santas Escrituras como revelación de Dios. Preguntan: "¿Cómo sabré cuál es el buen camino? Si la Biblia es en verdad la Palabra de Dios, ¿cómo puedo librarme de estas dudas y perplejidades?"

Dios nunca nos exige que creamos sin darnos suficiente evidencia sobre la cual fundar nuestra fe. Su existencia, su carácter, la veracidad de su Palabra, todas estas cosas están establecidas por abundantes testimonios que apelan a nuestra razón. Sin embargo, Dios no ha quitado toda posibilidad de dudar. Nuestra fe debe reposar sobre evidencias, no sobre demostraciones. Los que quieran dudar tendrán oportunidad de hacerlo, al paso que los que realmente deseen conocer la verdad encontrarán abundante evidencia sobre la cual basar su fe.

Es imposible para el espíritu finito del hombre comprender plenamente el carácter de las obras del Infinito. Para la inteligencia más perspicaz, para el espíritu más ilustrado, aquel santo Ser debe siempre permanecer envuelto en el misterio. "¿Puedes tú descubrir las cosas recónditas de Dios? ¿Puedes hasta lo sumo llegar a conocer al Todopoderoso? Ello es alto como el cielo, ¿qué podrás hacer? Más hondo es que el infierno, ¿qué podrás saber?" (Job 11:7, 8).

El apóstol Pablo exclama: "¡Oh profundidad de las riquezas, así de la sabiduría como de la ciencia de Dios! ¡cuán inescrutables son sus juicios, e ininvestigables sus caminos!" (Romanos 11:33). Mas aunque "nubes y tinieblas están al rededor de él; justicia y juicio son el asiento de su trono" (Salmo 97:2). Podemos comprender lo suficiente de su trato con nosotros y los motivos que le impulsan, para discernir en él un amor y misericordia sin límites unidos a un poder infinito. Podemos entender de sus designios cuanto es bueno que sepamos; y más allá de esto debemos seguir confiando en su mano omnipotente y en su corazón lleno de amor.

La Palabra de Dios, como el carácter de su divino Autor, presenta misterios que nunca podrán ser plenamente comprendidos por seres finitos. La entrada del pecado en el mundo, la encarnación de Cristo, la regeneración, la resurrección y otros muchos asuntos que se presentan en la Sagrada Escritura son misterios demasiado profundos para que la mente humana los explique, o siquiera los entienda plenamente. Pero no tenemos motivo para dudar de

Podemos entender de sus designios cuanto es bueno que sepamos; y más allá de esto debemos seguir confiando en su mano omnipotente y en su corazón lleno de amor.

la Palabra de Dios porque no podamos comprender los misterios de la providencia de él. En el mundo natural estamos siempre rodeados de misterios que no podemos penetrar. Aun las formas más humildes de vida presentan un problema que el más sabio de los filósofos es incapaz de explicar. Por doquiera se ven maravillas que superan nuestro conocimiento. ¿Debemos sorprendernos de que en el mundo espiritual haya también misterios que no podamos sondear? La dificultad estriba únicamente en la debilidad y estrechez del espíritu humano. Dios nos ha dado en las Santas Escrituras pruebas suficientes de su carácter divino, y no debemos dudar de su Palabra porque no podamos entender los misterios de su providencia.

El apóstol Pedro dice que hay en las Escrituras "cosas difíciles de entender, que los ignorantes e inconstantes tuercen,… para su propia destrucción" (2 S. Pedro 3:16). Los incrédulos han presentado las dificultades de las sagradas Escrituras como argumento contra ellas; pero distan tanto de serlo que constituyen en realidad una poderosa evidencia de su inspiración divina. Si no contuvieran acerca de Dios sino aquello que fácilmente pudiéramos comprender; si su grandeza y majestad pudieran ser abarcadas por inteligencias finitas, entonces la Biblia no llevaría las credenciales inequívocas de la autoridad divina. La misma grandeza y los mismos misterios de los temas presentados deben inspirar fe en ella como Palabra de Dios.

La Escritura presenta la verdad con tal sencillez y con una adaptación tan perfecta a las necesidades y los anhelos del corazón humano, que ha asombrado y encantado a los espíritus más cultivados, al mismo tiempo que capacita al más humilde e incauto para discernir el camino de la salvación. Sin embargo, estas verdades sencillamente declaradas tratan asuntos tan elevados, de tanta trascendencia, tan infinitamente fuera del alcance de la comprensión humana, que sólo podemos aceptarlas porque Dios nos las ha declarado. Así queda el plan de la redención expuesto delante de nosotros de modo que toda alma pueda ver los pasos que debe dar a fin de arrepentirse para con Dios y tener fe en nuestro Señor Jesucristo y salvarse de la manera señalada por Dios. Sin embargo, bajo estas verdades tan comprensibles existen misterios que son el escondedero de la gloria del Señor, misterios que abruman la mente que los indaga, aunque inspiran fe y reverencia al sincero investigador de la verdad. Cuanto más escudriña éste la Biblia, tanto más se profundiza su convicción de que es la Palabra del Dios vivo, y la razón humana se postra ante la majestad de la revelación divina.

Reconocer que no podemos entender plenamente las grandes verdades de la Escritura no es sino admitir que la mente finita no basta para abarcar lo infinito; que el hombre, con su limitado conocimiento humano, no puede comprender los designios de la Omnisciencia.

Por el hecho de que no pueden sondear todos los misterios de la Palabra de Dios, los escépticos y los incrédulos la rechazan; y no todos los que profesan creer en ella están exentos de este peligro. El apóstol dice: "Mirad, pues, hermanos, no sea que acaso haya en alguno de vosotros, un corazón malo de incredulidad, en el apartarse del Dios vivo" (Hebreos 3:12). Es bueno estudiar detenidamente las enseñanzas de la Escritura e investigar "las profundidades de Dios" hasta donde se revelan en ella, porque si bien "las cosas secretas pertenecen a Jehová nuestro Dios… las reveladas nos pertenecen a nosotros" (Deuteronomio 29:29). Pero Satanás obra para pervertir las facultades de investigación del en-

tendimiento. Cierto orgullo se mezcla con la consideración de la verdad bíblica, de modo que cuando los hombres no pueden explicar todas sus partes como quieren se impacientan y se sienten derrotados. Es para ellos demasiado humillante reconocer que no pueden entender las palabras inspiradas. No están dispuestos a esperar pacientemente hasta que Dios juzgue oportuno reve-

> *Cuanto más escudriña éste la Biblia, tanto más se profundiza su convicción de que es la Palabra del Dios vivo, y la razón humana se postra ante la majestad de la revelación divina.*

larles la verdad. Creen que su sabiduría humana sin auxilio alguno basta para hacerles entender la Escritura, y cuando no lo logran niegan virtualmente la autoridad de ésta. Es verdad que muchas teorías y doctrinas que se consideran generalmente derivadas de la Biblia no tienen fundamento en lo que ella enseña, y en realidad contrarían todo el tenor de la inspiración. Estas cosas han sido motivo de duda y perplejidad para muchos espíritus. No son, sin embargo, imputables a la Palabra de Dios, sino a la perversión que los hombres han hecho de ella.

Si fuera posible para los seres terrenales obtener pleno conocimiento de Dios y de sus obras, no habría ya para ellos, después de lograrlo, ni descubrimiento de nuevas verdades, ni crecimiento del saber, ni desarrollo ulterior del espíritu o del corazón. Dios no sería ya supremo; y el hombre, habiendo alcanzado el límite del conocimiento y del progreso, dejaría de adelantar. Demos gracias a Dios de que no es así. Dios es infinito; en él están "todos

Dios desea que el hombre haga uso de su facultad de razonar, y el estudio de la Sagradas Escrituras fortalece y eleva la mente como ningún otro estudio puede hacerlo.

los tesoros de la sabiduría y de la ciencia" (Colosenses 2:3). Y por toda la eternidad los hombres podrán estar siempre escudriñando, siempre aprendiendo, sin poder agotar nunca, sin embargo, los tesoros de la sabiduría, la bondad y el poder del Eterno.

El quiere que aun en esta vida las verdades de su Palabra se vayan revelando de continuo a su pueblo. Y hay solamente un modo por el cual se obtiene este conocimiento. No podemos llegar a entender la Palabra de Dios sino por la iluminación del Espíritu por el cual ella fue dada. "Las cosas de Dios nadie las conoce, sino el Espíritu de Dios" (1 Corintios 2:11), "porque el Espíritu escudriña todas las cosas, y aun las cosas profundas de Dios" (1 Corintios 2:10).

Y la promesa del Salvador a sus discípulos fue: "Mas cuando viniere aquél, el Espíritu de verdad, él os guiará al conocimiento de toda la verdad;... porque tomará de lo mío, y os lo anunciará" (S. Juan 16:13, 14).

Dios desea que el hombre haga uso de su facultad de razonar, y el estudio de la Sagradas Escrituras fortalece y eleva la mente como ningún otro estudio puede hacerlo. Con todo, debemos cuidarnos de no deificar la razón, que está sujeta a las debilidades y flaquezas de la humanidad. Si no queremos que las Sagradas Escrituras estén veladas para nuestro entendimiento de modo que no podamos comprender ni las verdades más simples, debemos tener la sencillez y la fe de un niño, estar dispuestos a aprender e implorar la ayuda del Espíritu Santo. El conocimiento del poder y la sabiduría de Dios y la conciencia de nuestra incapacidad para comprender su grandeza, deben inspirarnos humildad, y hemos de abrir su Palabra con santo temor, como si compareciéramos ante él. Cuando nos acercamos a la Escritura nuestra razón debe reconocer una autoridad superior a ella misma, y el corazón y la inteligencia deben postrarse ante el gran YO SOY.

Hay muchas cosas aparentemente difíciles u oscuras que Dios hará claras y sencillas para los que con esa humildad procuren entenderlas. Mas sin la dirección del Espíritu Santo estaremos continuamente expuestos a torcer las Sagradas Escrituras o a interpretarlas mal. Muchos leen la Biblia de una manera que no aprovecha, y hasta, en numerosos casos, produce un daño patente. Cuando el Libro de Dios se abre sin oración ni reverencia; cuando los pensamientos y afectos no están fijos en Dios, o no armonizan con su voluntad, el intelecto queda envuelto en dudas, y entonces con el mismo estudio de la Biblia se fortalece el escepticismo. El enemigo se posesiona de los pensamientos, y sugiere interpretaciones incorrectas. Cuando los hombres no procuran estar en armonía con Dios en obras y en palabras, por instruidos que sean están expuestos a errar en su modo de entender las Santas Escrituras, y no es seguro confiar en sus explicaciones. Los que escudriñan las Escrituras para buscar discrepancias, no tienen penetración espiritual. Con vista distorsionada encontrarán muchas razones para dudar y no creer en cosas realmente claras y sencillas.

Pero, como quiera que se la disfrace, la causa real de la duda y del escepticismo es, en la mayoría de los casos, el amor al pecado. Las enseñanzas y restricciones de la Palabra de Dios no agradan al corazón orgulloso, que ama el pecado; y los que rehúsan acatar lo que ella requiere están listos para dudar de su autoridad. Para llegar a la verdad debemos tener un deseo sincero de conocerla, y en el corazón, buena voluntad para obedecerla. Todos los que estudien la Escritura con este espíritu encontrarán abundante evidencia de que es la Palabra de Dios y podrán obtener una comprensión de sus verdades que los hará sabios para salvarse.

Cristo dijo: "Si alguno quisiere hacer su voluntad, conocerá de mi enseñanza" (S. Juan 7:17). En vez de dudar y cavilar tocante a lo que no entendáis, prestad atención a la luz que ya brilla sobre vosotros, y recibiréis mayor luz. Mediante la gracia de Cristo, cumplid todos los deberes que hayáis llegado a entender, y seréis capaces de comprender y cumplir aquellos de los cuales todavía dudáis.

Hay una prueba que está al alcance de todos, del más educado y del más ignorante: la evidencia de la experiencia. Dios nos invita a probar por nosotros mismos la realidad de su Palabra, la verdad de sus promesas. El nos dice: "Gustad y ved que Jehová es bueno" (Salmo 34:8). En vez de depender de las palabras de otro, tenemos que probar por nosotros mismos. Dice: "Pedid, y recibiréis" (S. Juan 16:24). Sus promesas se cumplirán. Nunca han faltado; nunca pueden faltar. Y cuando nos acerquemos al Señor Jesús y nos regocijemos en la plenitud de su amor, nuestras dudas y tinieblas desaparecerán ante la luz de su presencia.

Pero, como quiera que se la disfrace, la causa real de la duda y del escepticismo es, en la mayoría de los casos, el amor al pecado.

El apóstol Pablo dice que Dios "nos ha libertado de la potestad de las tinieblas, y nos ha trasladado al reino del Hijo de su amor" (Colosenses 1:13). Y todo aquel que ha pasado de muerte a vida "ha puesto su sello a esto, que Dios es veraz" (S. Juan 3:33). Puede testificar: "Necesitaba auxilio y lo he encontrado en el Señor Jesús. Fueron suplidas todas mis necesidades; fue satisfecha el hambre de mi alma; y ahora la Escritura es para mí la revelación de Jesucristo. ¿Me preguntáis por qué creo en él? Porque es para mí un Salvador divino. ¿Por qué creo en la Biblia? Porque he comprobado que es la voz de Dios para mi alma". Podemos tener en nosotros mismos el testimonio de que la Escritura es verdadera y de que Cristo es el Hijo de Dios. Sabemos que no estamos "siguiendo fábulas por arte compuestas" (2 S. Pedro 1:16, V. Valera).

El apóstol Pedro exhorta a los hermanos a crecer "en la gracia, y en el conocimiento de nuestro Señor y Salvador Jesucristo" (2 S. Pedro 3:18). Cuando los hijos de Dios crezcan en la gracia obtendrán constantemente un conocimiento más claro de su Palabra. Discernirán nueva luz y belleza en sus sagradas verdades. Esto es lo que ha sucedido en la historia de la iglesia en todas las edades, y continuará sucediendo hasta el fin. "La senda de los justos es como la luz de la aurora, que se va aumentando en resplandor hasta que el día es perfecto" (Proverbios 4:18).

Por la fe podemos mirar la vida futura y confiar en las promesas de Dios respecto al desarrollo de la inteligencia, a la unión de las facultades humanas con las divinas y a la relación directa de todas las potencias del alma con la Fuente de luz. Podemos regocijarnos de que todas las cosas que nos confundieron en las providencias de Dios serán entonces aclaradas; las cosas difíciles de entender recibirán entonces explicación; y donde nuestro entendimiento finito sólo descubría confusión y designios quebrantados, veremos la más perfecta y hermosa armonía. "Ahora vemos oscuramente, como por medio de un espejo, mas entonces, cara a cara; ahora conozco en parte, pero entonces conoceré así como también soy conocido" (1 Corintos 13:12).

PRECIOSAS Promesas

"Bienaventurado el pueblo que tiene esto; bienaventurado el pueblo cuyo Dios es Jehová". Salmo 144:15.

"Pon asimismo tu delicia en Jehová, y él te dará las peticiones de tu corazón". Salmo 37:4.

"Desde el nacimiento del sol hasta donde se pone, sea alabado el nombre de Jehová. Alto sobre todas las naciones es Jehová; sobre los cielos su gloria". Salmo 113:3, 4.

"Cantaré a Jehová, porque me ha hecho bien". Salmo 13:6.

"Estas cosas os he hablado, para que mi gozo esté en vosotros, y vuestro gozo sea cumplido". S. Juan 15:11.

"Aclamad a Dios con alegría, toda la tierra. Cantad la gloria de su nombre. Poned gloria en su alabanza". Salmo 66:1, 2.

"A Jehová cantaré en mi vida. A mi Dios salmearé mientras viviere. Serme ha suave hablar de él. Yo me alegraré en Jehová". Salmo 104:33, 34.

"Me mostrarás la senda de la vida. Hartura de alegrías hay con tu rostro; deleites en tu diestra para siempre". Salmo 16:11.

"Alabad a Jehová, naciones todas; pueblos todos, alabadle. Porque ha engrandecido sobre nosotros su misericordia; y la verdad de Jehová es para siempre". Salmo 117.

*Regocijaos en el Señor siempre.
Otra vez digo: ¡Regocijaos!... Y la paz
de Dios, que sobrepasa todo entendimiento,
guardará vuestros corazones y vuestros
pensamientos en Cristo Jesús".*
Filipenses 4:4, 7.

La Plenitud del Gozo

Los hijos de Dios están llamados a ser representantes de Cristo y a manifestar siempre la bondad y la misericordia del Señor. Así como el Señor Jesús nos reveló el verdadero carácter del Padre, hemos de revelar a Cristo ante un mundo que no conoce su ternura y compasivo amor. "De la manera que tú me enviaste a mí al mundo —decía Jesús—, así también yo los he enviado a ellos al mundo". "Yo en ellos, y tú en mí,… para que conozca el mundo que tú me enviaste" (S. Juan 17:18, 23). El apóstol Pablo dice a los discípulos del Señor: "Sois manifiestamente una epístola de Cristo", "conocida y leída de todos los hombres" (2 Corintios 3:3, 2). En cada uno de sus hijos el Señor Jesús envía una carta al mundo. Si sois discípulos de Cristo, él envía en vosotros una carta a la familia, a la aldea, a la calle donde vivís. Jesús, que mora en vosotros, quiere hablar a los corazones que no le conocen. Tal vez no leen la Biblia ni oyen la voz que les habla en sus páginas; no ven el amor de Dios en sus obras; pero si sois verdaderos representantes del Señor Jesús, es posible que por vosotros sean inducidos a conocer algo de su bondad y sean ganados para amarle y servirle.

Los cristianos son como portaluces en el camino al cielo. Tienen que reflejar sobre el mundo la luz de Cristo que brilla sobre ellos. Su vida y carácter deben ser tales que por ellos adquieran otros una idea justa de Cristo y de su servicio.

Si representamos verdaderamente a Cristo, haremos que su servicio parezca atractivo, como lo es en realidad. Los cristianos que llenan su alma de amargura y tristeza, murmuraciones y quejas, están representando ante otros falsamente a Dios y la vida cristiana. Dan la impresión de que Dios no se complace en que sus hijos sean felices; y en esto dan falso testimonio contra nuestro Padre celestial.

Satanás se regocija cuando puede inducir a los hijos de Dios a la incredulidad y al desaliento. Se deleita cuando nos ve desconfiar de Dios y dudar de su buena voluntad y de su poder para salvarnos. Le agrada hacernos sentir que el Señor nos hará daño por sus providencias. Es obra de Satanás representar al Señor como falto de compasión y piedad. Tergiversa la verdad respecto a él. Llena la imaginación de ideas falsas tocante a Dios; y en vez de espaciarnos en la verdad acerca de nuestro Padre

¡Cuánto importa que expresemos tan sólo cosas que den fuerza espiritual y vida!

celestial, con demasiada frecuencia nos fijamos en las falsas representaciones de Satanás, y deshonramos a Dios desconfiando de él y murmurando contra él. Satanás procura siempre presentar la vida religiosa como una vida lóbrega. Desea hacerla aparecer trabajosa y difícil; y cuando el cristiano, por su incredulidad presenta en su vida la religión bajo este aspecto, secunda la mentira de Satanás.

Muchos, al recorrer el camino de la vida, se espacian en sus errores, fracasos y desengaños, y sus corazones se llenan de dolor y desaliento. Mientras estaba yo en Europa, una hermana que había estado haciendo esto y que se hallaba profundamente apenada, me escribió para pedirme algunos consejos que la animaran. La no-

che que siguió a la lectura de su carta soñé que estaba yo en un jardín y que alguien, al parecer dueño del jardín, me conducía por sus senderos. Yo estaba recogiendo flores y gozando de su fragancia, cuando esa hermana, que había estado caminando a mi lado, me llamó la atención a algunos feos zarzales que le estorbaban el paso. Allí estaba ella, afligida y llena de pesar. No iba por la senda, siguiendo al guía, sino que andaba entre espinas y abrojos. "¡Oh! —se lamentaba— ¿no es una lástima que este hermoso jardín esté echado a perder por las espinas?" Entonces el que nos guiaba dijo: "No hagáis caso de las espinas, porque solamente os molestarán. Juntad las rosas, los lirios y los claveles".

¿No ha habido en vuestra experiencia algunas horas felices? ¿No habéis tenido algunos momentos preciosos en que vuestro corazón palpitó de gozo respondiendo al Espíritu de Dios? Cuando recorréis los capítulos pasados de vuestra vida, ¿no encontráis algunas páginas agradables? ¿No son las promesas de Dios fragantes flores a cada lado de vuestro camino? ¿No permitiréis que su belleza y dulzura llenen vuestro corazón de gozo?

Las espinas y abrojos sólo os herirán y causarán dolor; y si recogéis únicamente esas cosas y las presentáis a otros, ¿no estáis menospreciando la bondad de Dios e impidiendo que los demás anden en el camino de la vida?

No es sabio reunir todos los recuerdos desagradables de la vida pasada, sus iniquidades y desengaños, para hablar de esos recuerdos y llorarlos hasta quedar abrumados de desaliento. La persona desalentada se llena de tinieblas, desecha de su alma la luz divina y proyecta sombra en el camino de los demás.

Gracias a Dios por los hermosísimos cuadros que nos ha dado. Reunamos las benditas promesas de su amor, para recordarlas siempre: el Hijo de Dios, que deja el trono de su Padre y reviste su divinidad con la humanidad para poder rescatar al hombre del poder de Satanás; su triunfo en nuestro favor, que abre el cielo a los hombres y revela a su vista la morada donde la Divinidad descubre su gloria; la raza caída, levantada de lo profundo de la ruina en que el pecado la había sumergido, puesta de nuevo en relación con el Dios infinito, vestida de la justicia de Cristo y exaltada hasta su trono después de sufrir la prueba divina por la fe en nuestro Redentor. Tales son las cosas que Dios quiere que contemplemos.

Cuando parece que dudamos del amor de Dios y desconfiamos de sus promesas, le deshonramos y contristamos su Espíritu Santo. ¿Cómo se sentiría una madre cuyos hijos se quejaran constantemente de ella, como si no tuviera buenas intenciones para con ellos, mientras que en realidad durante su vida entera ella se hubiese esforzado por fomentar los intereses de ellos y proporcionarles comodidades? Suponed que dudaran de su amor; esto quebrantaría su corazón. ¿Cómo se sentiría un padre si sus hijos le trataran así? ¿Y cómo puede mirarnos nuestro Padre celestial cuando desconfiamos de su amor, que le indujo a dar a su Hijo unigénito para que tengamos vida? El apóstol dice: "El que ni aun a su propio Hijo perdonó, sino que le entregó por todos nosotros, ¿cómo no nos ha de dar también de pura gracia, todas las cosas?"

(Romanos 8:32). Y sin embargo, cuántos están diciendo con sus hechos, si no con sus palabras: "El Señor no dijo esto para mí. Tal vez ame a otros, pero a mí no me ama".

Todo esto está perjudicando a vuestra propia alma, pues cada palabra de duda que proferís da lugar a las tentaciones de Satanás; hace crecer en vosotros la tendencia a dudar, y es un agravio de parte vuestra a los ángeles ministradores. Cuando Satanás os tiente, no salga de vuestros labios una sola palabra de duda o tinieblas. Si elegís abrir la puerta a sus insinuaciones, vuestra mente se llenará de desconfianza y de rebeldes cavilaciones. Si habláis de vuestros sentimientos, cada duda que expreséis no sólo reaccionará sobre vosotros mismos

Esté la alabanza de Dios en vuestros labios y corazones cuando estrechéis la mano de un amigo. Esto atraerá sus pensamientos al Señor Jesús.

sino que será una semilla que germinará y dará fruto en la vida de otros, y acaso sea imposible contrarrestar la influencia de vuestras palabras. Tal vez podáis reponeros vosotros de la hora de la tentación y del lazo de Satanás; mas puede ser que otros que hayan sido dominados por vuestra influencia, no alcancen a escapar de la incredulidad que hayáis insinuado. ¡Cuánto importa que expresemos tan sólo cosas que den fuerza espiritual y vida!

Los ángeles están atentos para oír qué clase de informe dais al mundo acerca de vuestro Señor. Conversad de Aquel que vive para interceder por nosotros ante el Padre. Esté la alabanza de Dios en vuestros labios y corazones cuando estrechéis la mano de un amigo. Esto atraerá sus pensamientos al Señor Jesús.

Todos tenemos pruebas, aflicciones duras que sobrellevar y fuertes tentaciones que resistir. Pero no las contéis a los mortales, sino llevadlo todo a Dios, en oración. Tengamos por regla el no proferir una sola palabra de duda o desaliento. Podemos hacer mucho más para alumbrar el camino de los demás y sostener sus esfuerzos si

Jesús es nuestro amigo; todo el cielo está interesado en nuestro bienestar. No debemos tolerar que las perplejidades y congojas cotidianas aflijan nuestro espíritu y oscurezcan nuestro semblante.

hablamos palabras de esperanza y buen ánimo.

Hay muchas almas valientes que están en extremo acosadas por la tentación, casi a punto de desmayar en el conflicto que sostienen consigo mismas y con las poten-

cias del mal. No las desalentéis en su dura lucha. Alegradlas con palabras de valor, ricas en esperanza, que las insten a avanzar. De este modo podéis reflejar la luz de Cristo. "Ninguno de nosotros vive para sí" (Romanos 14:7). Por vuestra influencia inconsciente pueden los demás ser alentados y fortalecidos, o desanimados y apartados de Cristo y de la verdad.

Muchos tienen ideas muy erróneas acerca de la vida y el carácter de Cristo. Piensan que carecía de calor y alegría, que era austero, severo y triste. Para muchos toda la vida religiosa se presenta bajo este aspecto sombrío.

Se dice a menudo que Jesús lloró, pero que nunca se supo que haya sonreído. Nuestro Salvador fue a la verdad Varón de dolores y experimentado en quebranto, porque abrió su corazón a todas las miserias de los hombres. Pero aunque fue la suya una vida de abnegación, dolores y cuidados, su espíritu no quedó abrumado por ellos. En su rostro no se veía una expresión de amargura o queja, sino siempre de paz y serenidad. Su corazón era un manantial de vida. Y doquiera iba, llevaba descanso y paz, gozo y alegría.

Nuestro Salvador fue profunda e intensamente fervoroso, pero nunca sombrío o huraño. La vida de los que le imiten estará por cierto llena de propósitos serios; ellos tendrán un profundo sentido de su responsabilidad personal. Reprimirán la liviandad; entre ellos no habrá júbilo tumultuoso ni bromas groseras; pues la religión del Señor Jesús da paz como un río. No extingue la luz del gozo, no impide la jovialidad ni oscurece el rostro alegre y sonriente. Cristo no vino para ser servido, sino para servir; y cuando su amor reine en nuestro corazón, seguiremos su ejemplo.

Si recordamos siempre las acciones egoístas e injustas de otros, encontraremos que es imposible amarlos como Cristo nos amó; pero si nuestros pensamientos se espacian de continuo en el maravilloso amor y compasión de Cristo hacia nosotros, manifestaremos el mismo espíritu para con los demás. Debemos amarnos y respetarnos mutuamente, no obstante las faltas e imperfecciones que no podemos menos de observar. Debemos cultivar la humildad y la desconfianza para con nosotros mismos, y una paciencia llena de ternura hacia las faltas ajenas. Esto destruirá todo estrecho egoísmo y nos dará un corazón grande y generoso.

El salmista dice: "Confía en Jehová, y obra el bien; habita tranquilo en la tierra, y apaciéntate de la verdad" (Salmo 37:3). "Confía en Jehová". Cada día trae sus cargas, sus cuidados y perplejidades; y cuán listos estamos para hablar de ellos cuando nos encontramos unos con otros. Nos acosan tantas penas imaginarias, cultivamos tantos temores y expresamos tal peso de ansiedades, que cualquiera podría suponer que no tenemos un Salvador poderoso y misericordioso, dispuesto a oír todas nuestras peticiones y a ser nuestro protector constante en cada hora de necesidad.

Algunos temen siempre, y toman cuitas prestadas. Todos los días están rodeados de las prendas del amor de Dios; todos los días gozan las bondades de su providencia; pero pasan por alto estas bendiciones presentes. Sus mentes están siempre espaciándose en algo desagradable cuya llegada temen; o puede ser que existan realmente algunas dificultades que, aunque pequeñas, ciegan sus ojos a las muchas bendiciones que demandan gratitud. Las dificultades con que tropiezan, en vez de guiarlos a Dios, única fuente de todo bien, los separan de él, porque despiertan desasosiego y lamentos.

Cada paso de la vida puede acercarnos más al Señor Jesús, puede darnos una experiencia más profunda de su amor y aproximarnos tanto más al bendito hogar de paz.

¿Hacemos bien en ser así incrédulos? ¿Por qué ser ingratos y desconfiados? Jesús es nuestro amigo; todo el cielo está interesado en nuestro bienestar. No debemos tolerar que las perplejidades y congojas cotidianas aflijan nuestro espíritu y oscurezcan nuestro semblante. Si lo permitimos, habrá siempre algo que nos moleste y fatigue. No debemos dar entrada a los cuidados que sólo nos inquietan y agotan pero no nos ayudan a soportar las pruebas.

Podéis estar perplejos en los negocios; vuestra perspectiva puede ser cada día más sombría, y podéis estar amenazados de pérdidas; pero no os descorazonéis; confiad vuestras cargas a Dios y permaneced serenos y alegres. Pedid sabiduría para manejar vuestros asuntos con discreción, a fin de evitar pérdidas y desastres. Haced todo lo que esté de vuestra parte para obtener resultados favorables. El Señor Jesús nos prometió su ayuda, pero sin eximirnos de hacer lo que esté de nuestra parte. Si confiando en nuestro Ayudador hemos hecho todo lo que podíamos, aceptemos con buen ánimo los resultados.

No es la voluntad de Dios que su pueblo esté abrumado por el peso de la congoja. Pero tampoco nos engaña. No nos

La prueba no excederá a la fuerza que se nos dé para soportarla.

dice: "No temáis; no hay peligros en vuestro camino". El sabe que hay pruebas y peligros, y nos trata con franqueza. No se propone sacar a su pueblo de en medio de este mundo de pecado y maldad, pero le ofrece un refugio que nunca falla. Su oración por sus discípulos fue: "No ruego que los quites del mundo, sino que los guardes del mal". "En el mundo —dice—, tendréis tribulación; pero tened buen ánimo; yo he vencido al mundo" (S. Juan 17:15; 16:33).

En el Sermón del Monte Cristo enseñó a sus discípulos preciosas lecciones en cuanto a la necesidad de confiar en Dios. Estas lecciones tenían por fin alentar a los hijos de Dios a través de los siglos, y han llegado a nuestra época llenas de instrucción y consuelo. El Salvador llamó la atención de sus discípulos a cómo las aves del cielo

entonan sus dulces cantos de alabanza sin estar abrumadas por los cuidados de la vida, a pesar de que "no siembran, ni siegan". Y sin embargo, el gran Padre celestial les provee lo que necesitan. El Salvador pregunta: "¿No valéis vosotros mucho más que ellas?" (S. Mateo 6:26). El gran Dios que provee para los hombres y las bestias extiende su mano y suple las necesidades de todas sus criaturas. Las aves del cielo no son tan insignificantes que no las note. El no les pone el alimento en el pico, mas hace provisión para sus necesidades. Deben juntar el grano que él ha derramado para ellas. Deben preparar el material para sus nidos. Deben alimentar a sus polluelos. Ellas se dirigen cantando hacia su labor, porque "vuestro Padre celestial las alimenta". Y "¿no valéis vosotros mucho más que ellas?" ¿No sois vosotros, como adoradores inteligentes y espirituales, de más valor que las aves del cielo? El Autor de nuestro ser, el Conservador de nuestra existencia, el que nos formó a su propia imagen divina, ¿no suplirá nuestras necesidades si tan sólo confiamos en él?

Cristo presentaba a sus discípulos las flores del campo, que crecen en rica profusión y lucen la sencilla hermosura que el Padre celestial les dio, como una expresión de su amor hacia el hombre. El decía: "Considerad los lirios del campo, cómo crecen" (S. Mateo 6:28). La belleza y la sencillez de estas flores naturales sobrepujan en excelencia a la gloria de Salomón. El atavío más esplendoroso producido por la habilidad artesana no puede compararse con la gracia natural y la belleza radiante de las flores creadas por Dios. El Señor Jesús preguntó: "Y si Dios viste así a la hierba del campo, que hoy es, y mañana es echada en el horno, ¿cuánto más a vosotros, hombres de poca fe?" (S. Mateo 6:30). Si Dios, el Artista sublime, da a las flores, que perecen en un día, sus delicados y variados colores, ¿cuánto mayor cuidado no tendrá por aquellos a quienes creó a su propia imagen? Esta lección de Cristo es un reproche contra la ansiedad, las perplejidades y dudas del corazón sin fe.

El Señor quiere que todos sus hijos e hijas sean felices, llenos de paz y obedientes. El Señor dijo: "Mi paz os doy; no según da el mundo, yo os la doy: no se turbe vuestro corazón, ni se acobarde" (S. Juan 14:27). "Estas cosas os he dicho, para que quede mi gozo en vosotros, y vuestro gozo sea completo" (S. Juan 15:11).

La felicidad que se procura por motivos egoístas, fuera de la senda del deber, es desequilibrada, caprichosa y transitoria; pasa, y deja el alma llena de soledad y tristeza; pero en el servicio de Dios hay gozo y satisfacción; Dios no abandona al cristiano en caminos inciertos, no le deja librado a pesares vanos y contratiempos. Aunque no tengamos los placeres de esta vida, podemos gozarnos a la espera de la vida venidera.

Pero aun aquí los cristianos pueden tener el gozo de la comunión con Cristo; pueden tener la luz de su amor, el perpetuo consuelo de su presencia. Cada paso de la vida puede acercarnos más al Señor Jesús, puede darnos una experiencia más profunda de su amor y aproximarnos tanto más al bendito hogar de paz. No perdáis, pues, vuestra confianza, pero tened una seguridad más firme que nunca antes. "¡Hasta aquí nos ha ayudado Jehová!" (1 Samuel 7:12), y nos ayudará hasta el fin. Miremos los monumentos conmemorativos de lo que Dios ha hecho para confortarnos y salvarnos de la mano del destructor. Tengamos siempre presentes todas las tiernas misericordias que Dios nos ha mostrado: las lágrimas que ha enjugado, las penas que ha quitado, las ansiedades que ha alejado, los temores que ha disipado, las necesidades que ha suplido, las bendiciones que ha derramado, y fortalezcámonos para todo lo que nos aguarda en el resto de nuestra peregrinación.

No podemos sino prever nuevas perplejidades en el conflicto venidero, pero podemos mirar hacia lo pasado tanto como hacia lo futuro, y decir: "¡Hasta aquí nos ha ayudado Jehová!" "Según tus días, serán tus fuerzas" (Deuteronomio 33:25). La prueba no excederá a la fuerza que se nos dé para soportarla. Sigamos, por lo tanto, con nuestro trabajo dondequiera que lo hallemos, sabiendo que para cualquier cosa que venga, él nos dará fuerza proporcional a la prueba.

Y antes de mucho las puertas del cielo se abrirán para recibir a los hijos de Dios, y de los labios del Rey de gloria resonará en sus oídos, como la música más dulce, la invitación: "¡Venid, benditos de mi Padre, poseed el reino destinado para vosotros desde la fundación del mundo!" (S. Mateo 25:34). Entonces los redimidos recibirán con gozo la bienvenida al hogar que el Señor Jesús les está preparando. Allí su compañía no será la de los viles de la tierra, ni la de los mentirosos, idólatras, impuros e incrédulos, sino la de los que hayan vencido a Satanás y por la gracia divina hayan adquirido un carácter perfecto. Toda tendencia pecaminosa, toda imperfección que los aflige aquí, habrá sido quitada por la sangre de Cristo, y se les comunicará la excelencia y brillantez de su gloria, que excede con mucho a la del sol. Y la belleza moral, la perfección del carácter de Cristo, que ellos reflejan, superará aun este esplendor exterior. Estarán sin mancha delante del trono de Dios y compartirán la dignidad y los privilegios de los ángeles.

En vista de la herencia gloriosa que puede ser suya, "¿qué rescate dará el hombre por su alma?" (S. Mateo 16:26). Puede ser pobre y, sin embargo, posee en sí mismo una riqueza y dignidad que el mundo jamás podría haberle dado. El alma redimida y limpiada de pecado, con todas sus nobles facultades dedicadas al servicio de Dios, es de un valor incomparable; y hay gozo en el cielo delante de Dios y de los santos ángeles por cada alma rescatada, un gozo que se expresa con cánticos de santo triunfo.

PRECIOSAS

Promesas

"Estas cosas os he hablado, para que
en mí tengáis paz. En el mundo tendréis aflicción; mas
confidad, yo he vencido al mundo". S. Juan 16:33.

"Y la paz de Dios, que sobrepuja todo entendimiento,
guardará vuestros corazones y vuestros entendimientos
en Cristo Jesús". Filipenses 4:7.

"Y todos tus hijos serán enseñados de Jehová;
y multiplicará la paz de tus hijos". Isaías 54:13.

"Y por él reconciliar todas las cosas a sí, pacificando
por la sangre de su cruz, así lo que está en la tierra como lo
que está en los cielos". Colosenses 1:20.

"Porque él es nuestra paz". Efesios 2:14.

"La paz os dejo, mi paz os doy; no como
el mundo la da, yo os la doy. No se turbe vuestro
corazón, ni tenga miedo". S. Juan 14:27.

"Y levantándose, increpó al viento, y dijo a
la mar: Calla, enmudece. Y cesó el viento, y fue
hecha grande bonanza". S. Marcos 4:39.

"Porque la intención de la carne es muerte; mas
la intención del Espíritu, vida y paz". Romanos 8:6.

"La misericordia y la verdad se encontraron;
la justicia y la paz se besaron". Salmo 85:10.

"Gloria en las alturas a Dios, y en la tierra paz,
buena voluntad para con los hombres". S. Lucas 2:14.

Indice de las Escrituras